"Brasil, um filme pornô com trilha de Bossa Nova."
— MILLÔR FERNANDES

"Talvez o Brasil já tenha acabado
e a gente não tenha se dado conta disso."
— PAULO FRANCIS

"O Brasil é o País onde show de rock não tem rock,
viciado faz campanha antidroga
e 'comediante' se ofende com piada."
— DANILO GENTILI

"No Brasil, basta ter opinião para ser polêmico."
— ROGÉRIO CENI

"O Brasil precisa explorar com urgência a sua riqueza —
porque a pobreza não aguenta mais ser explorada."
— MAX NUNES

"Infelizmente, o Brasil nunca perde
uma oportunidade de perder oportunidades."
— ROBERTO CAMPOS

"Eu proporia que se substituíssem todos os capítulos
da Constituição por: Artigo Único —
Todo brasileiro fica obrigado a ter vergonha na cara."
— CAPISTRANO DE ABREU

"Não acho que quem ganhar ou quem perder,
nem quem ganhar nem perder,
vai ganhar ou perder. Vai todo mundo perder."
— DILMA ROUSSEFF

"O Brasil é uma nação de espertos que,
reunidos, formam uma multidão de idiotas."
— GILBERTO DIMENSTEIN

"No Brasil o fundo do poço é apenas uma etapa."
— LUIS FERNANDO VERISSIMO

"Brasil, o país onde política é futebol,
futebol é religião e religião é política."
— ANTONIO TABET

"No Brasil de hoje, os cidadãos têm medo do futuro.
Os políticos têm medo do passado."
— CHICO ANYSIO

"As grandes autoridades no Brasil são tão imorais
que 'Vossa Excelência' virou um palavrão."
— AUGUSTO BRANCO

"Viva o Brasil
Onde o ano inteiro
É primeiro de abril"
— MILLÔR FERNANDES

"Para tirar meu Brasil desta baderna,
só quando o morcego doar
sangue e o saci cruzar a perna."
— BEZERRA DA SILVA

"O Brasil é um país geométrico...
tem problemas angulares,
discutidos em mesas-redondas,
por bestas quadradas."
— MARIANA ALBERTINI

"No Brasil não existe filantropia,
o que existe é pilantropia."
— BETINHO

"Brasil? Fraude explica."
— CARLITO MAIA

"O Brasil não é para principiantes."
— TOM JOBIM

"Se a única coisa de que o homem terá certeza é a morte; a única certeza do brasileiro é o carnaval no próximo ano."
— GRACILIANO RAMOS

"Deste Planalto Central, desta solidão que em breve se transformará em cérebro das mais altas decisões nacionais, lanço os olhos mais uma vez sobre o amanhã do meu país e antevejo esta alvorada, com fé inquebrantável e uma confiança sem limites no seu grande destino."
— JUSCELINO KUBITSCHEK

"Se Deus é brasileiro, o papa é carioca."
— PAPA JOÃO PAULO II

"Brasileiro só aceita título se for de campeão. E eu sou brasileiro."
— AYRTON SENNA

"Eu tenho guardado vivo na minha memória o vasto céu de Brasília que parecia estender-se infinitamente"
— MICHIKO, imperatriz do Japão

"O Brasil não é uma terra. É uma civilização. Introduziu uma coisa bastante interessante, que é a democracia em termos reais. Não é só o desejo de ser igual, mas também o direito de ser diferente. O Brasil representa a maior tolerância de nossos tempos. Há árabes e judeus em paz. Por que vocês não exportam a paz para o Oriente Médio?"
— SHIMON PERES, ex-presidente de Israel

"O Brasil é feito por nós. Está na hora de desatar esses nós."
— BARÃO DE ITARARÉ

"Mesmo não sendo um paraíso, todo brasileiro sabe que não vivemos no inferno. A Terra de Santa Cruz é um cálido purgatório. No máximo."
— LEANDRO KARNAL

"O Brasil é um país novo em que um camelô, com sorte e talento, pode subir muito."
— SILVIO SANTOS

"Se todos quisermos, poderemos fazer deste país uma grande nação. Vamos fazê-la."
— TIRADENTES

"Nenhuma plateia do Queen se igualou à brasileira"
— ROGER TAYLOR, baterista da banda britânica Queen

"Deus que me conceda esses últimos desejos — Paz e Prosperidade para o Brasil."
— D. PEDRO II

"Viver no exterior é bom, mas é uma merda. Viver no Brasil é uma merda, mas é bom."
— TOM JOBIM

"O amor por princípio, a ordem por base e o progresso por fim."
— AUGUSTE COMTE

"A pergunta que minha mente formulou foi respondida pelo ensolarado céu do Brasil."
— ALBERT EINSTEIN

André Marinho

O BRASIL
(NÃO) É UMA PIADA

intrínseca

Copyright © 2022 by André Marinho

Checagem
Rosana Agrella da Silveira

Revisão
Eduardo Carneiro
Ana Grillo

Foto de capa
Leo Aversa

Montagem de capa
Fernando Souza

CIP-BRASIL. CATALOGAÇÃO NA PUBLICAÇÃO
SINDICATO NACIONAL DOS EDITORES DE LIVROS, RJ

M29b

    Marinho, André, 1994
      O Brasil (não) é uma piada / André Marinho. - 1. ed. -
    Rio de Janeiro : Intrínseca, 2022.
      240 p. ; 21 cm.

      Inclui bibliografia
      ISBN 978-65-5560-389-7

      1. Bolsonaro, Jair Messias, 1955-. 2. Presidentes - Brasil -
    Eleições. 3. Campanhas eleitorais - Brasil. I. Título.

22-78874   CDD: 324.70981
                                 CDU: 324(81)

Meri Gleice Rodrigues de Souza - Bibliotecária - CRB-7/6439
07/07/2022   12/07/2022

[2022]
Todos os direitos desta edição reservados à
Editora Intrínseca Ltda.
Rua Marquês de São Vicente, 99, 6º andar
22451-041 — Gávea
Rio de Janeiro — RJ
Tel./Fax: (21) 3206-7400
www.intrinseca.com.br

Aos meus pais
— responsáveis pelo melhor de mim
(quanto ao resto, e há muito resto, a culpa é minha).

Aos meus irmãos
— com quem divido o amor que, no fim, se multiplica.

Aos amigos do Resenha
— mais cúmplices que amigos.

Aos brasileiros e brasileiras de boa-fé
— porque a fé não costuma faiá.

INTRODUÇÃO
2018: SE EU CONTAR, NINGUÉM ACREDITA

No dia 28 de outubro de 2018, Bolsonaro se elegeu presidente. Não sou fofoqueiro, mas se me apertar eu conto tudo.

→ *página 11*

CAPÍTULO 1
A VIDA IMITA A ARTE

Eu sei como tudo começou — mas não faço ideia de como tudo acabará. Nem quero saber. (E tomara que demore.)

→ *página 17*

CAPÍTULO 2
A POLÍTICA IMITA A VIDA

Conheci muita gente importante, conheci muita gente que se achava importante. Quem? Minha boca é um túmulo — aberto.

→ *página 29*

CAPÍTULO 3
REINAÇÕES DE JAIRZINHO

Mea culpa, mea culpa, mea maxima culpa! Mentira, não tive tanta culpa assim, porque não sou tão importante. Pormenores da campanha que nem Deus nem o Leo Dias imaginam.

→ *página 45*

CAPÍTULO 4
"PERDOA-ME POR ME TRAÍRES"

Antes só do que acompanhado pelo Bolsonaro.

→ *página 73*

CAPÍTULO 5
NÃO HÁ MOTIVO PARA PÂNICO

Entrei como imitador, saí como boxeador. Minha trajetória no *Pânico* contada por mim mesmo — para delírio dos *haters*.

→ *página 105*

CAPÍTULO 6
FAZER HUMOR QUANDO É PROIBIDO RIR

Estão levando o bobo da corte
a sério demais. Piada está virando
crime. Crime está virando piada.

→ *página 127*

CAPÍTULO 7
IDEAIS DE GENTE SEM IDEIAS

Fanáticos de um lado, fanáticos
de outro, militantes de esquerda,
militantes de direita: é muita
cabeça pra pouca ideia. Vamos
conversar sobre isso.

→ *página 145*

CAPÍTULO 8
A POLÍTICA COMO ENTRETENIMENTO

Política não é brincadeira. Ou é?

→ *página 159*

CAPÍTULO 9
BRASIL: UMA UTOPIA AINDA POSSÍVEL

Uma história do Brasil
para quem tem pressa.
E, principalmente, esperança.

→ *página 183*

EPÍLOGO
VERÁS QUE UM FILHO TEU NÃO FOGE À LUTA

Podia estar roubando, podia estar
matando, podia estar em Miami —
mas resolvi ser brasileiro mesmo.

→ *página 219*

POSFÁCIO
VELOCIDADE DA LUZ

por CARLOS ANDREAZZA

→ *página 223*

REFERÊNCIAS

→ *página 235*

INTRODUÇÃO
2018: SE EU CONTAR, NINGUÉM ACREDITA

*"O importante não é ver tudo.
É ver o que os outros não veem."*

JOSÉ INGENIEROS (1877-1925),
médico e intelectual ítalo-argentino

DURANTE O BREVE trajeto entre minha casa, no Jardim Botânico, até o condomínio Vivendas da Barra, por volta das duas horas da tarde, naquele 28 de outubro de 2018, eu rememorava os últimos acontecimentos e pensava que, pouco tempo antes, ninguém, em sã ou insana consciência, teria acreditado na candidatura de Jair Messias Bolsonaro.

O ceticismo, aliás, fazia sentido. Embora mostrasse considerável intuição para captar — e capitalizar — a atmosfera política depois do *impeachment* de Dilma e da prisão de Lula, o fato é que Bolsonaro surgira quase por acaso no que restara do *establishment* pós-Lava Jato.

Confesso que eu mesmo não levei muito a sério os primeiros movimentos. E digo mais: tenho a impressão de que, naquela eleição, o próprio postulante ao cargo mais alto da República tinha as mesmas dúvidas. Sou capaz de afirmar que Bolsonaro disputou receoso de vencer, como um adolescente que sai em busca do primeiro emprego e teme encontrar um.

Foi preciso que minha casa se convertesse no *bunker* daquela batalha, foi preciso que os mais variados espécimes da curiosa fauna política nacional circulassem entre a minha cozinha e a sala de estar para que eu me convencesse de que, sim, algo muito importante estava para acontecer.

A vacilante candidatura se transformaria numa improvável vitória, fruto de uma campanha que, a rigor, nem mesmo existiu. Ora, a partir da facada de Adélio Bispo, gesto tresloucado e criminoso ocorrido no auge da corrida eleitoral, o sobrevivente Capitão reformado se ajustaria à margem das imprevisibilidades do jogo e, pura e simplesmente, aguardaria o resultado. Esperaria deitado.

Não precisou fazer mais nada, a não ser reforçar sua imagem de vítima de conspirações elitistas e messias de aspirações populares. Os outros candidatos batiam cabeça, desnorteados, contraditórios, esvaziados, à procura de uma narrativa minimamente convincente, mas não convenciam nem a si mesmos.

O eleitor, por sua vez, já tinha escolhido seu mártir — e também o próprio martírio, como os meses vindouros tragicamente revelariam.

Esta foi uma das grandes lições que a política me deu e da qual nunca me esquecerei: nunca duvide do impossível. Às vezes, ele é o mais provável de acontecer.

ENQUANTO O CARRO fazia seu percurso em um dia de clima particularmente ameno no Rio de Janeiro — ameno o bastante para que eu pudesse vestir um dos meus agasalhos preferidos, o da seleção brasileira, modelo usado pela comissão técnica de Carlos Alberto Parreira na inesquecível Copa de 1994, que nos rendeu o tetra —, senti na pele, nos ossos, no sangue, o que era a energia intensa de uma eleição presidencial. Como um Taffarel à espera do erro de Roberto Baggio.

As ruas salpicavam de gente indo e voltando de casa ou de suas zonas eleitorais, o cinza do asfalto se fundia ao verde e amarelo das camisetas, o entusiasmo cívico mal escondia a tensão no ar.

Não faço aqui — e peço ao leitor a boa vontade de, por enquanto, não fazer — qualquer juízo a respeito do candidato em questão, do que ele fora ou seria, biografia e ideologia à parte, antes e depois da vitória.

O que experimentei, naqueles meses que pareciam anos, independentemente de tudo o que viria a acontecer depois, foi e será importante para a minha vida de comunicador e comentarista. Posso me arrepender das minhas opiniões, mas não me arrependo das minhas experiências. A poucos quilômetros da casa onde Bolsonaro, sua família e sua equipe estavam concentrados, Carlos Augusto Montenegro, botafoguense ilustre, presidente do Ibope, telefona para meu pai e crava: "Capitão presidente. De 10 a 15 milhões à frente. Podem comemorar."

As consultas de boca de urna, somadas à percepção do inegável favoritismo da véspera, não deixavam margem a dúvida: Jair Messias Bolsonaro logo seria confirmado como o 38º presidente do Brasil.

E, algumas horas depois, foi o que aconteceu.

ENCONTRAMOS O MESSIAS com seus discípulos… quer dizer, encontramos Bolsonaro com seus apoiadores, e lhe transmitimos a boa-nova: "Montenegro cravou a vitória, hein!" Desconfiado, como de costume, ele respondeu: "Vamo vê, vamo vê."

Eu vi um homem que não parecia saber comemorar. Como se, no fundo, aquilo tudo fosse uma peça cômica que, de tanto ser encenada, se confundira com a realidade e era aceita a contragosto.

Bolsonaro e seus filhos trocaram abraços mais de cumplicidade do que de amor. Não senti neles a alegria genuína, efusiva, até infantil, que se espera em momentos como esse. Somente Flávio, o 01, demonstrou um entusiasmo, digamos, mais "tradicional" (assim como mais "tradicionais" seriam sua atuação na política e as denúncias de que seria alvo…). Carlos e Eduardo, 02 e 03, respectivamente, olhavam em volta como se já fizessem planos e antecipassem tramas.

Vislumbrei a falta de jeito para momentos grandes, grandiosos, como aquele. Era como se perguntassem: "E agora?"

Esquecidos sobre as mesas, restos de bebida e salgadinhos frios se misturavam à frieza dos vitoriosos.

Olhando aquela cena, ninguém saberia dizer se era o começo ou o fim da festa.

O Brasil descobriria poucos meses depois.

QUIS O DESTINO que eu tivesse alguma participação nos primeiros atos de Bolsonaro como presidente.

Tão logo o resultado se revelou matematicamente irreversível, as protocolares ligações começaram a pipocar. O saudoso Gustavo Bebianno, coordenador da campanha, deixara comigo o aparelho oficial designado pelo Itamaraty para quaisquer eventualidades. Essas eventualidades atendiam pelos nomes de Marito Benítez (presidente do Paraguai), Enrique Peña Nieto (presidente do México) e Scott Hamilton (cônsul dos Estados Unidos no Rio de Janeiro).

Ao atender os dois primeiros, cometi um portunhol digno o suficiente para não causar nenhuma crise diplomática. Quanto à ligação dos Estados Unidos, foi mais fácil. Sou apaixonado pela língua inglesa e pela política americana. O recado veio naquele tipo de impostação vocal que só autoridade americana tem: *"President Trump is in the White House and would like to reach the president-elect. Can you connect us?"*

Sim, eu poderia colocá-los em contato, mas na verdade não foi isso o que aconteceu. No dia seguinte, os jornais atribuiriam a mim a intermediação entre Donald Trump e Jair Bolsonaro, como se eu tivesse sido o intérprete da conversa. De fato, eu estava de sobreaviso para essa necessidade, já que Eduardo Bolsonaro, fluente em inglês como eu sou fluente em javanês, não quis se arriscar. A essa altura, no entanto, eles já trocavam palavras, como manda o protocolo eleitoral, em outra ligação, conectados por outra fonte da embaixada dos Estados Unidos em Brasília e auxiliados pela professora de inglês de Carlos Bolsonaro, que, veríamos mais tarde, precisava mesmo era de uma babá.

NA CONFECÇÃO DO DISCURSO da vitória, escrito pelo General Augusto Heleno, futuro ministro-chefe do Gabinete de Segurança Institucional da Presidência da República, e por Onyx Lorenzoni, futuro ministro-chefe da Casa Civil mais incivilizada dos últimos anos, tive uma participação incidental.

Um emocionado Onyx, como se a faixa presidencial fosse dele, me confidenciou que havia se inspirado em falas de Barack Obama e George Bush (pai), Mauricio Macri (ex-presidente argentino) e da "Dama de Ferro" Margaret Thatcher, ex-primeira-ministra britânica.

Na versão final, de última hora quiseram incluir uma certa frase, e procuraram quem tinha boa caligrafia para facilitar a leitura do texto à imprensa e aos populares.

De próprio punho, em meio a dezenas de pessoas gritando em volta, entre elas um empolgado Paulo Guedes, guru econômico que naqueles dias ainda podia se orgulhar de ser pouco mais que a sombra a que se reduziria depois, acrescentei a sentença premonitória: "Governaremos com os olhos nas futuras gerações e não na próxima eleição."

Ninguém há de negar que ele governa com os olhos, as orelhas, a boca, o nariz voltados para as futuras gerações — da própria família.

Num desses momentos, do lado de fora da casa e do lado de fora da festa, encontrei Renan Bolsonaro, o 04, filho mais novo. Mirava um ponto qualquer a distância, perdido em pensamentos.

Imaginei pensamentos políticos, patrióticos, republicanos. Supus reflexões sobre a responsabilidade que o pai teria em conduzir uma nação com mais de 200 milhões de pessoas.

Então, me aproximei e puxei conversa. Perguntei a ele como se sentia. Ele me respondeu: "Só estou pensando no tanto de mulher que eu vou pegar a partir de agora."

Começava ali, esculpido nas melhores intenções, o governo Bolsonaro.

ESTE LIVRO NÃO É uma autobiografia, mas o relato de muito do que vi e vivi, nos últimos anos, desde que fui jogado (ou me joguei?) no turbilhão da política brasileira.

As recordações servirão de gatilho narrativo para o que verdadeiramente importa: pensar o Brasil, falar sobre ele, me comunicar com quem esteja disposto a ouvir (ou, para ser mais preciso, ler).

Não tenho a última palavra sobre nenhum dos assuntos ou fatos tratados nas próximas páginas, o que é evidente, porque ninguém a tem. Mas tenho a palavra que me cabe. Tenho a minha versão da história.

Falemos, pois, sobre o imenso e amado Brasil, que (não) é uma piada.

CAPÍTULO 1

A VIDA IMITA A ARTE

*"Nunca li uma autobiografia honesta.
Noventa por cento das autobiografias são 100% ficção.
Se as pessoas escrevessem a verdade sobre
si próprias, não haveria cadeia que chegasse."*

GROUCHO MARX (1890-1977),
comediante e ator americano

DESDE QUE ME CONHEÇO por gente, confesso, gosto de aparecer.

Não me orgulho disso nem me envergonho: é o que é. Considerando que me tornei artista e comunicador, essa característica foi e está sendo útil. Se eu ficasse enfiado em mim mesmo, não teria me enfiado na interessante bagunça que é a vida pública num país como o Brasil.

Minhas memórias de infância, como todas as memórias de infância, são difusas, borradas, imprecisas. Mais do que lembranças, guardo impressões, fortes impressões daqueles anos. Entre vida vivida e vida imaginada, sei que foi um tempo bom. Desatei a falar o tempo todo, com todo mundo, desde que aprendi a articular a primeira frase.

É como se, ainda pequeno, todas as vozes que hoje saem de mim já estivessem ali, embrionárias, esperando para nascer, crescer e encontrar seu espaço.

Muitos anos e frases depois, continuo o mesmo. Não aprendi a calar a boca e, sinceramente?, não aprenderei. Nem quero. Falar é meu vício, meu ofício e minha vocação.

Tive poucos medos, que me lembre. Chucky, de *Brinquedo assassino* (1988), era um deles. A ideia de um boneco feio, psicopata, que ganha vida e assassina a minha família toda, os meus amigos e a mim mesmo, me apavorava. Só fui sentir a mesma aflição muito tempo depois, com alguns dos convidados do *Pânico*. Ainda bem que aqueles na realidade eram inofensivos. Feios, psicopatas, mas inofensivos.

Fui, como dizem, uma criança adulta. No fundo, a maior das minhas preocupações era que meus pais se divorciassem, o que não aconteceu. Felizmente, estão juntos até hoje. Devo tudo a eles. A meu pai, Paulo Marinho, a valentia ética e a disposição para o diálogo. Uma frase marcante dele, quase um aforismo: "Cultive as boas amizades." A minha mãe, Adriana Marinho, o gosto apurado e a sensibilidade artística. Sou apaixonado pelos meus irmãos: Maria, Danyel e Giulia (que é a estrela da família e uma versão possível de mim mesmo). Todos têm qualidades que me enchem de orgulho. "Aconteça o que acontecer, fiquem juntos, permaneçam unidos", pede até hoje minha mãe. Que meus detratores (estão todos aí? Sejam muito bem--vindos, puxem uma cadeira, espero que se irritem bastante) não se enganem: a pinta é de mauricinho, a cabeça é de Jimmy Neutron, o jeitão é de Macaulay Culkin no filme *Riquinho*, mas o coração sempre esteve em outro lugar.

Reconheço (e aprendi cedo a reconhecer) valores mais importantes que o dinheiro: a capacidade de cultivar afetos, estreitar laços e respeitar peculiaridades. Não meço nem julgo ninguém pelo endereço fiscal, mas pela lealdade. Gosto de gente.

Antes de arriscar minhas primeiras imitações, eu desenhava. É um talento que eu tinha e que, pela falta de prática, para frustração da minha mãe, se esvaiu com o tempo.

Nos desenhos eu esboçava o que viria a aprimorar um pouco mais tarde, com a modulação cuidadosa da voz: caricaturas de familiares e de personalidades. Entendo que o caricaturista, assim como o imitador, distorce, até certo ponto, o objeto observado, assim revelando mais verdades que a verdade socialmente admitida.

Além do gosto pelo desenho, ainda pequeno, comecei a me interessar por debates e política. Acompanhei madrugada adentro a vitória de George W. Bush sobre John Kerry, em 2004, e assisti ao massacre de Lula sobre Geraldo Alckmin, em 2006, quando o paulista operou a façanha de ter 2,5 milhões de votos a menos no segundo turno em comparação com o primeiro. Essa esquisitice não foi em vão, como veremos adiante.

A televisão era outra das minhas paixões, e meu primeiro contato com programas de auditório foi o inesquecível *Show do Milhão*, do gênio Silvio Santos, que eu via quase todas as noites. Passava longas horas na calorosa companhia da Bel e da Neuza, que trabalhavam em casa, assistindo ao melhor do *kitsch* nacional, com João Kleber, Faustão e Luciano Huck.

Nunca, porém, assistia à TV apenas como entretenimento. Eu prestava atenção à *mise-en-scène* e às nuances comportamentais de cada um deles.

João Kleber aposta no vale-tudo do entretenimento. Entrevista motoristas de táxi e pilotos de nave espacial com a mesma seriedade.

Faustão tem uma energia titânica e insubordinada desde os tempos do *Perdidos na Noite*.

Luciano Huck, arrumadinho como um social-democrata, trouxe ao mundo uma revolução hormonal capitaneada por Tiazinha e Feiticeira.

Intrigava-me a caótica complexidade daquela espécie de espetáculo circense televisionado que atraía multidões. Eu fazia parte da multidão atraída. Sabia que o entretenimento era minha praia. Num domingo em família, em nosso antigo sítio em Petrópolis, houve uma breve epifania. Assistíamos ao DVD com o show comemorativo de 25 anos da Arista Records, gravadora de Whitney Houston, Kenny G., Carlos Santana e Aretha Franklin.

Lembro-me da expressão dos meus pais, completamente extasiados, com a entrada triunfal e o *medley* de grandes sucessos executados pelo *crooner* Barry Manilow, que vestia um sobretudo preto, uma gravata prata e um terno impecável.

Fiquei hipnotizado pela imagem do *showman* e sua voz melódica, emendando um hit atrás do outro, sem maiores esforços, num arranjo tão bem-feito quanto seu paletó. A própria Whitney Houston se rendia ao talento puro daquela performance.

Conto isso porque foi naquele momento que nasceu em mim o amor pelos palcos, o gosto pela elegância, a atenção aos detalhes. Seja uma nota alcançada, seja um nó de gravata bem-feito, o cuidado consigo é cuidado com os outros.

Tom Ford, estilista e diretor americano, disse que "vestir-se bem é uma expressão de bons modos". Vou além: na vida pública, a depender do contexto, vestir-se com apuro, além de boas maneiras, sugere um sentido de ética, de respeito, de civilidade.

Não por acaso, tenho predileção pela formalidade estética, quase maneirista, de lendas dos microfones e das telas como Frank Sinatra, Paul Anka, Jô Soares, Michael Bublé, Emílio Santiago, Luis Miguel, Steve McQueen, Tarcísio Meira, Humphrey Bogart, John Wayne, Dean Martin, Cary Grant, Pierce Brosnan, Roger Moore e Robert Redford.*

---

* Ator americano, protótipo do "galã de Hollywood", que protagonizou o icônico filme *The Candidate* (1972), cujo pôster inspirou a capa deste livro.

Ah, claro, também de figuras políticas *sui generis* como Ronald Reagan, presidente dos Estados Unidos entre 1981 e 1989.

Falaremos dele mais tarde, mas gostaria de registrar uma nota. Existe uma frase muito conhecida e, para o meu gosto, muito errada, geralmente atribuída a Georges Clemenceau, estadista francês: "Qualquer homem que não é um socialista aos vinte anos, não tem coração. Qualquer homem que ainda é um socialista aos quarenta anos, não tem cabeça."

Que me perdoe Clemenceau, Mahatma Gandhi, Clarice Lispector ou qualquer outro a quem atribuam essa frase, mas, graças a Deus e à minha educação, nunca tive na parede o pôster com o retrato do Che Guevara, feito pelo fotógrafo Alberto Korda, imagem que se transformou no ícone do socialismo romântico (que nunca deu certo, apesar das intenções) e no suvenir do capitalismo pragmático (que sempre deu certo, a despeito das intenções).

Minha inspiração em liderança era — e continua sendo — o ator que se tornou o protagonista da maior democracia do planeta. Revisões históricas feitas, devemos a Reagan, a Margaret Thatcher e ao papa João Paulo II o fim da Guerra Fria, a recuperação econômica e a reafirmação moral dos valores da liberdade e da democracia.

Mas não nos antecipemos.

AS PREOCUPAÇÕES ÉTICAS, políticas e econômicas, embora já aparecessem ali, na saída da infância e no princípio da adolescência, disputariam minha atenção com outras preocupações que valiam tanto ou mais que eventos como a queda do Muro de Berlim: o futebol em geral e o Botafogo em particular. Como disse Arrigo Sacchi, treinador do melhor Milan de todos os tempos, isto é, do fim da década de 1980: "O futebol é a coisa mais importante dentre as menos importantes."

Não tive a sorte de viver na época de ouro da Estrela Solitária. Meu pai contava os feitos de tantos e tantos craques, e eu ouvia embevecido, com os olhos provavelmente brilhando, quase como se fossem contos e lendas de heróis imaginados. Mas não. Foram heróis de verdade, que imaginaram um jeito de jogar que deixou saudades em quem os viu pela TV ou nas idas frequentes aos estádios, ou, como no caso do meu pai, que teve a sorte de muitas vezes torcer da cabine onde Luiz Mendes, o "comentarista da palavra fácil", fazia a crônica das glórias do Glorioso.

Dei azar. Quis o destino que eu nascesse noutros tempos, tempos de homens e não de deuses, quando outros comentaristas e locutores narrariam o obituário de muitas derrotas e poucas vitórias. Assisti ao rebaixamento do clube em 2002, num Caio Martins que parecia mais um cemitério de gols, e aquilo me doeu como uma amputação de guerra. Tive de me acostumar aos traumas e à humilhação de torcer para um grande que se acreditou pequeno. Quem sabe o mais carioca dos americanos, John Textor, agora que é dono do Botafogo, mude essa realidade. Sonhar é de graça.

Acontece que só no futebol os votos de casamento são verdadeiros: na alegria e na tristeza, na saúde e na doença, até que a morte nos separe. Estou com o Botafogo e o Botafogo está comigo, porque torcer é isto: insistir, persistir, resistir. Fincar as travas da chuteira num fiapo qualquer de esperança e... esperar pelo próximo Estadual.

Mas não pensem os senhores, não imaginem as senhoras, que minha relação com o ludopédio se resume à apreciação passiva da sala de estar ou da arquibancada. Eu também jogava — e jogo até hoje. Muitas, muitíssimas vezes, vesti calção e camiseta, calcei luvas e chuteiras e fui brincar de Manga, de Wágner, de Jefferson no gol.

Vejam só.

Desgraçadamente, escolhi a mais solitária das posições. Submetia-me a exaustivas sessões de treino com meu irmão Danyel, ele próprio mais alto e talentoso que eu. Saía esgotado, mas queria mais. O desafio de ser goleiro, ainda que amador, é o desafio de não ter direito ao fracasso. Atacantes perdem cinco, dez gols por jogo, mas basta que façam apenas um e estarão redimidos. O goleiro, não. O goleiro é julgado pelas falhas que não comete, pelos erros que evita, pela perfeição a que almeja. Fui — e ainda sou — atraído por isso.

MAS NEM TUDO FOI BOLA.

Personagens da política, da cultura e da televisão frequentaram minha casa. A culpa é de meu pai, Paulo Marinho, "coelho" para os amigos, o "homem mais charmoso do Rio" para as colunas sociais, o exemplo para mim e para meus irmãos.

Faço questão de contar um pouco dessa biografia, digamos, cinematográfica: o então homem galanteador do inesquecível Rio de Janeiro dos anos 1970 e 1980, *habitué* do *jet set* internacional e assunto recorrente das colunas de Ibrahim Sued e Zózimo Barrozo do Amaral, foi, pouca gente sabe, um *self-made man* que vendeu enciclopédia Barsa de porta em porta e de sol a sol, assumindo a responsabilidade de ser arrimo de família quando os negócios do meu avô fracassaram e o dinheiro escasseou.

Sua propensão a se misturar na comunidade — nos bailes de carnaval, nas comemorações de futebol, nos bares noturnos — trouxe grandes amizades. Uma delas, Ronaldo Xavier de Lima, campeão de polo e então marido da Miss Brasil 1954, Martha Rocha, foi determinante.

Aos 14 anos, Paulo tornou-se secretário de Ronaldo. Sem diplomas nem graduações, saiu-se tão bem que foi para Londres, estagiar numa seguradora inglesa. Aprendeu tudo sobre os negócios e, decidido a voltar ao Brasil, meteu na cabeça: "Preciso ganhar dinheiro de qualquer maneira."

Entendeu que a distância mais curta entre o modesto apartamento da Miguel Lemos, em Copacabana, e os salões parisienses seria percorrida com muito trabalho, inteligência e disposição para o risco. Desligou-se do amigo e patrão e foi trabalhar na Bolsa de Valores do Rio de Janeiro. Prosperou novamente.

Em maio de 1973, aos 21 anos, casou-se com a famosa atriz francesa e socialite Odile Rubirosa, viúva do diplomata dominicano Porfirio Rubirosa, conhecido como "o último playboy". O casamento foi capa da revista *Manchete* daquela semana.

Os apartamentos de Ipanema e, principalmente, do edifício Chopin, em Copacabana, se converteram no consulado não oficial da França no Brasil. Sediaram festas e feijoadas da alta sociedade carioca. Frank Sinatra, Mick Jagger, Valentino, Rod Stewart, Elton John, Bob Colacello, Jean-Claude Brialy, Marisa Berenson, Ursula Andress, Alain Delon, Peter Frampton, Candice Bergen e Elsa Martinelli deram uma "passadinha" por ali.

Ambos também frequentaram a elite parisiense dos anos 1970, e conheceram notáveis como o magnata grego Aristóteles Onassis e sua elegante esposa — e ex-primeira-dama dos Estados Unidos, Jacqueline Kennedy Onassis; o primeiro marido da princesa Caroline de Mônaco e banqueiro Philippe Junot, além do ex-secretário de Estado dos Estados Unidos, o influente Henry Kissinger, enquanto ele estava na França negociando a paz no Vietnã. Oito anos depois, em 1981, meu pai e sua primeira esposa se divorciaram.

Em 1982, ele começou a namorar a atriz Maitê Proença, com quem teve uma filha, minha irmã Maria. Muitas dessas histórias estão na edição de dezembro de 1982 da revista *Playboy*, numa longa entrevista com a nada discreta chamada: "Por que nove entre dez estrelas preferem Paulo Marinho, o novo namorado de Maitê Proença."

O amor virou amizade, até que de repente, não mais que de repente, seu grande amigo Fernandinho Batata, quase uma instituição da boemia carioca, chegou para ele e cravou: "Eu vou te apresentar a mulher com quem você vai se casar."

Era a deslumbrante e discretíssima Adriana Oiticica Bourguignon, que, graças a Deus e ao Fernandinho Batata, quer dizer, graças a Deus e ao meu pai, viria a se tornar Adriana Marinho, minha mãe.

Daí vocês entendem a facilidade que tenho para conhecer, juntar, conciliar pessoas.

Some-se a influência do meu pai à receptividade da minha mãe, e o resultado é que, em todos os endereços em que moramos, alguns dos tipos mais poderosos e influentes deram o ar da graça (às vezes, da desgraça; mas esses a gente deixa pra lá).

Entre 2004 e 2005, moramos em Brasília, numa imponente casa na conhecida Península dos Ministros, às margens do Lago Paranoá. Meu pai ocupava o cargo de vice-presidente do *Jornal do Brasil* e da *Gazeta Mercantil*.

O fundador da Gol, Nenê Constantino, era nosso vizinho de porta. Ao lado, a residência oficial do presidente do Senado, na época ocupada pelo ex-presidente José Sarney, com quem mantínhamos boas relações. Foram anos incríveis.

Agora imaginem a cena: durante as frequentes peladas com amigos, de vez em quando isolávamos a bola sobre o muro do vizinho. O vizinho em questão era o ex-presidente. Gritávamos, com a insolência natural dos garotos: "Devolve a bola, Sarney!" — e o Sarney, obediente, devolvia. Nós "mandávamos" no homem que um dia mandou no Brasil.

Eu era muito jovem e inexperiente para saber quem era quem, quem fazia o quê, mas me interessava por aquele vaivém de bastidores. Percebia que coisas importantes eram discutidas por aqueles homens e mulheres, vestidos a caráter, nos jantares que meu pai promovia.

Certamente vem daí esse meu jeito "político" de falar com uns e outros, memorizar nomes e botar apelidos, identificar excentricidades e gestos. As imitações que faço são o fruto desse apreço pela idiossincrasia e pela conversa. Talvez o leitor seja um puritano da coisa pública e, ao ler as linhas acima, faça carinha de nojo. Estamos acostumados a pensar que os encontros que acontecem na política têm algo de sujo, indecoroso ou, no mínimo, suspeito.

Mas não é bem assim. A política é feita de acordos, mais que de embates. Fazer política é um jeito pacífico de se evitar a guerra. Tantas e tão variadas experiências e observações me ensinaram que promover o diálogo é o único jeito de compreender as pessoas (e, com elas, o país). Quero ouvir o que têm a dizer, mesmo aquelas de quem discordo e de quem continuarei a discordar. Qual seria a outra opção? A outra opção consiste no autoritarismo, na violência, na radicalização. A outra opção, por exemplo, consiste na tentativa de agressão física de um interlocutor que não suporta ter suas convicções questionadas e apela para o *argumentum ad hominem* e as vias de fato por lhe faltar postura de homem e amor aos fatos.

CERTA FEITA, numa madrugada do dia 28 de outubro de 2002, eu assistia, esparramado no sofá da minha casa, ao discurso da vitória do presidente eleito, Luiz Inácio Lula da Silva, pronunciado num palanque em frente ao edifício Gazeta, na avenida Paulista.

Cinquenta mil bocas escancaravam o clássico *jingle* da campanha de 1989: "Lula lá, brilha uma estrela! Lula lá, cresce a esperança!" Lula rasgava a desconfiança da população como um Moisés dividindo as águas do mar Vermelho. Eu não tinha a menor compreensão do que ele representava para o povo (muito menos do que ele representaria para os banqueiros e as empreiteiras, mas isso é outra história...). Sabia apenas, porque assim diziam, que ele era "a favor dos mais pobres".

Súbito, enquanto assoviava a pegajosa melodia, um estalo me fez correr para o quarto dos meus pais (espero não ter interrompido nada) e imitar, sem apuro nem construção, a voz gutural do primeiro sindicalista eleito presidente do Brasil, uma das maiores nações do mundo. Eureca! Ficaram boquiabertos. Fiquei boquiaberto por dentro com a atenção deles. Quis repetir em casa o que mais tarde repetiria em rede nacional.

No princípio era o Lula. O resto é a história que vou contar.

CAPÍTULO 2
A POLÍTICA IMITA A VIDA

*"A política tem uma coisa em comum
com o amor: ambos se baseiam no esquecimento
das experiências passadas."*
JEAN-FRANÇOIS REVEL (1924-2006),
filósofo, escritor e jornalista francês

CERTO DIA, EM 2000, após um impiedoso treino no gol com meu irmão (e exigente treinador) Danyel, eu voltava para casa e me surpreendi com uma algazarra vinda da portaria do nosso condomínio.

Bandeiras tremulavam a felicidade sob a luz forte das câmeras. Repórteres tentavam capturar uma imagem qualquer do prefeito eleito do Rio de Janeiro — meu vizinho de prédio —, Cesar Maia.

Eu, os porteiros, demais funcionários e alguns moradores nos direcionamos, bastante curiosos, para a área comum. Maia acenava ao povo da varanda, ao lado do filho, Rodrigo.

Com uma virada surpreendente nos últimos dias de campanha, Cesar Maia havia sido eleito pela segunda vez para a Prefeitura do Rio de Janeiro, ao derrotar o então prefeito e favorito à reeleição Luiz Paulo Conde.

Aquilo, não sei por quê, me cativou demais. Ou talvez eu saiba: essa é a minha primeira lembrança do poder de mobilização que só a política é capaz de produzir. E a primeira vez a gente nunca esquece.

A INFÂNCIA DEU LUGAR à adolescência, e o interesse pela política deixou de ser anedótico.

A curiosidade por toda aquela gente que meu pai conhecia, por todas aquelas figuras que frequentavam minha casa e eu via, aos poucos se transformou no genuíno interesse por tudo o que eles de fato representavam e faziam.

Mais do que as pessoas, passaram a me interessar as personas.

Entendi que, não só na economia, o que se vê (para lembrar Bastiat) — jantares, cumprimentos, *glamour*, teatro, amizades — é manifestação de algo que não se vê — acordos, embates, conexões, costuras e rompimentos.

Política é coisa séria, afeta nossa vida, condiciona — às vezes determina — nossas possibilidades existenciais. Moral da história: Sarney deixou de ser meu vizinho e passou a ser só o ex-presidente. E eu comecei a ver que as mesmas pessoas mudavam de vestes (e cargos) e podiam ser vistas com outros olhos.

Assim como, também com outros e interessados olhos, aos 10 anos, mas precocemente amadurecido pelas leituras que começava a fazer, assisti à convenção republicana de 2004, durante as guerras no Iraque e no Afeganistão.

O astro Arnold Schwarzenegger, então governador da Califórnia, discursava em favor da reeleição de George W. Bush. Meu conhecimento político, àquela altura, ainda era insuficiente e primário, mas os meus instintos cívicos começavam a desabrochar.

A convenção se deu no Madison Square Garden, em Nova York. O patriotismo americano, no que tem de bom e ruim, parecia uma força física: era denso, ocupava espaço, tinha cheiro. Eu compreendia aquela atmosfera, já que a anglofilia — mais precisamente: a *americanofilia* — é um dos meus "pecados" favoritos.

Minha mãe morou no Texas durante a adolescência, e, dentro de casa, insistia em conversar comigo e com meus irmãos em inglês, o que foi fundamental na minha educação (embora eu sentisse alguma estranheza quando instado a falar inglês no dia a dia familiar).

Prestava bastante atenção ao discurso de Schwarzenegger, e me recordo de certa passagem especialmente contundente.

Cheguei aqui na América em 1968. Que dia especial foi esse. Lembro-me que cheguei de bolsos vazios, mas cheio de sonhos, cheio de determinação, cheio de desejos. A campanha presidencial estava a todo o vapor. Recordo que assisti à corrida presidencial de Richard Nixon (candidato republicano) versus Hubert Humphrey (desafiante democrata) na TV. Um amigo meu, que falava alemão e inglês, traduziu para mim. Ouvi Humphrey dizer coisas que soavam como socialismo — do qual eu tinha acabado de fugir. Mas então ouvi Nixon falar. E ele estava falando sobre livre iniciativa, sobre tirar o governo das suas costas, baixar os impostos e fortalecer os militares. Ouvir Nixon falar parecia uma lufada de ar fresco. "De que partido ele é?", perguntei. "Republicano", respondeu meu amigo. "Então sou republicano." E tenho sido um republicano desde então!

A SINCERIDADE — até certo ponto canhestra — com que Arnold conta sobre seu despertar político, ao ouvir os presidenciáveis americanos, significou para mim uma aproximação de conceitos gerais como socialismo (com ênfase na igualdade) e capitalismo (com ênfase na liberdade).

É evidente que minha compreensão ainda era elementar, bastante maniqueísta, sobre os distintos sistemas de governo. Não poderia ser diferente, considerando minha idade e pouca formação. Mas aquilo

31

me deixou um sentimento bastante profundo sobre a natureza do problema moral na política e na economia.

Desde cedo, eu já desconfiava de certo relativismo ético, que muitas vezes se traduz em ideologia política e termina em descompromisso eleitoral. Sim, os seres humanos se movimentam numa zona mais cinzenta, não apenas preta ou branca. Nem tudo é moralmente claro. Não somos bons ou maus em termos absolutos. Contudo, se é verdade que os extremos da bondade e da maldade, do certo e do errado, não esgotam nossa experiência cotidiana, isso não significa que os valores bons e maus, as percepções certas e erradas, sejam invenções, sejam convenções sociais.

Quando se misturam à política, tais valores morais e cognitivos deságuam nos mares ideológicos que conhecemos e no que se convencionou chamar de "direita" e "esquerda" depois da Revolução Francesa. Vetores que não são fixos, que se deslocam a depender da geografia e da história, mas que, nem por isso, deixam de orientar, mesmo que em linhas gerais, nossas escolhas. Rejeito a polarização burra, mas parece que o esvaziamento dos termos direita e esquerda, tão prometido por cientistas políticos, ainda não aconteceu.

Visto dessa forma, minha filiação à direita — entusiasmada ou radical no início, moderada ou pragmática depois — é menos uma adesão ao rótulo do direitista convencional e mais uma consequência de algumas das minhas preferências ou aversões em tópicos específicos. Por exemplo, a questão do estatismo.

Os acidentes da história e a lógica da economia sugerem que aumentar o tamanho do Estado é aumentar o tamanho do problema, e políticas públicas, quando têm porta de entrada mas não têm ao menos uma janela de saída, tendem a se tornar uma solução simples e eficaz para hoje, simplória e insuficiente para o ano que vem e simplesmente danosa para as próximas gerações.

O capitalismo funciona tão bem, apesar de suas falhas, que a humanidade teve um salto vertiginoso de desenvolvimento, em todos os níveis, nos últimos dois séculos. O capitalismo tem falhas, sim, porque qualquer engenho humano terá falhas. Mas, ainda assim, como bônus, ele é um processo que permite correções, críticas, ajustes. O livre mercado admite, inclusive, soluções alternativas, absorvendo propostas alternativas. No capitalismo há mobilidade social, e as hierarquias são menos estáveis e mais porosas. Isso não acontece em economias planificadas e controladas pelo Estado.

O empresário mais bem-sucedido não se limita a meramente atender aos desejos e suprir as necessidades dos consumidores, ele os antecipa. Ninguém escreveu uma carta para Steve Jobs dizendo-lhe para fazer um telefone que enviaria e-mail, tiraria fotos, tocaria música e passasse filmes. Ele o inventou e construiu antes que soubéssemos que não poderíamos viver sem ele. O capitalismo incentiva a criatividade e a empatia e, em seguida, as coloca a serviço dos desejos e necessidades das pessoas.

A desigualdade que a esquerda diz desprezar não é criada por esses empresários. É criada por nós. As sociedades sempre foram e sempre serão desiguais. O maior problema a ser resolvido ou minimizado não é tanto o da desigualdade. Primeiro, porque isso faz parte das configurações das sociedades. Segundo, porque o que importa é o aumento da riqueza para todos, ainda que um aumento desigual. Isso é difícil de aceitar conceitualmente, mas faz sentido. Uma pessoa que vive com 30 mil reais por mês vive muito bem, embora seja incomensuravelmente mais "pobre" — digo com aspas, por favor — que o Jeff Bezos, por exemplo. O que devemos cuidar é para que essa concentração de riqueza não seja monopolística ou cartelizada, seja pelo Estado, seja pelo mercado, seja por uma conexão promíscua entre eles. Vale ressaltar também que devemos sempre ter como missão precípua socorrer os nossos semelhantes, e são muitos, que vivem com muito pouco. Aqui, nesse ponto da desigualdade, precisamos dedicar especial atenção. A desigualdade acima de um certo patamar é natural; abaixo desse patamar, é cruel, indigna e precisa ser dirimida.

Porém, o orgulho do dito "socialismo democrático" é que ele coloca o povo no comando da economia. Que controle você tem sobre os Correios, a Petrobras ou o Detran? Votamos em eleições a cada dois ou quatro anos, mas como consumidores exercemos nossas escolhas diariamente, diretamente nos mercados. O livre mercado reflete muito mais o consentimento popular do que o "socialismo democrático". Não precisamos estender a democracia da esfera política para a econômica, porque já a temos. O capitalismo, não o socialismo, é a verdadeira forma de justiça social.

Ronald Reagan, o improvável mandatário num dos momentos mais quentes da história, percebia que o *welfare state*, ou estado de bem-estar social, se perpetuado, era uma medida sempre cheia de boas intenções e quase sempre repleta de maus resultados. Ele representou um ideal de compostura estética, coragem política e rapidez de raciocínio que me fez querer tomar parte nisso. Uma vez, perguntaram a Reagan se, como ator, aprendera alguma coisa útil para o exercício da presidência. Saiu-se com esta: *"Houve momentos, neste cargo, que me perguntei como seria possível fazer esse tipo de trabalho se eu não tivesse sido ator!"* Aos 77 anos, já no final da presidência, ainda dizia com convicção: "A América está de volta." Esse patriotismo esclarecido se contrapunha ao cinismo de uma esquerda que, no justo afã de fazer a denúncia das injustiças da América, jogou fora qualquer sentido de pertencimento e tradição. Jogou fora, enfim, a própria ideia de América como terra da liberdade e dos direitos civis.

Uma de suas referências era o tratado *A mentalidade conservadora*, de Russell Kirk, uma exaustiva radiografia do pensamento conservador em suas mais variadas configurações. Nele, Kirk defende que o conservadorismo não é propriamente uma ideologia, isto é, não há um conjunto de soluções políticas que se identifique como política conservadora. Antes, é uma atitude espiritual, uma defesa de princípios, uma homenagem à tradição, um aceno às coisas permanentes.

Ser conservador não é negar o progresso ou enfatizar o passado, mas entender que o futuro não será, necessariamente, melhor do que tudo aquilo que já experimentamos. Um conservador é prudente, reformista e moderadamente cético. Espera que as novidades passem pelo crivo do tempo, da falibilidade humana, do equilíbrio entre as aspirações individuais e a ordem coletiva. Ordem, justiça e liberdade são valores caros aos conservadores — não aos progressistas ou reacionários, fanáticos de esquerda ou de direita.

Com tantas referências fervilhando em minha cabeça, foi até fácil escapar do automatismo mental que "condena" todo jovem interessado em política e questões sociais a ser, ou se dizer, de esquerda. Curiosamente, a hegemonia ideológica da esquerda era tamanha que, na Escola Britânica do Rio de Janeiro, onde cursei o ensino médio, ser de direita equivalia a ser contestador do *statu quo*. E como eu contestava.

Não que incomodasse colegas e professores de maneira mal-educada. Tem coisa mais chata que o chato que se acredita um Sócrates irreconhecido? Mas, no espaço que nos era dado para refletir e propor discussões, sobrava pra mim a tarefa de bombardear a preguiça intelectual que, de vez em quando, parecia se instalar na turma.

Além das leituras, os professores nos incentivavam a apresentar nossos pontos de vista. Minha facilidade para falar e lidar com o público foi desenvolvida nessa escola, que foi minha segunda casa. Um dos melhores conselhos que recebi lá foi: "Antes de formular e emitir sua opinião, leia pelo menos três pontos de vista diferentes, que se contradizem. Dessa forma, você poderá tomar uma decisão informada."

Foram os anos em que descobri, fora da sala de aula, intelectuais e jornalistas como Victor Davis Hanson, Bill Whittle e Ben Shapiro, por exemplo. Naquele momento, de fato, eu absorvia de maneira nem sempre crítica o melhor e o pior do neoconservadorismo americano. Hoje, com o distanciamento dos anos e a diversificação das fontes, separo o joio dogmático do trigo filosófico.

O ANO ERA 2014. O Brasil ainda estava no departamento médico, depois da maior humilhação futebolística da nossa história. Tropas russas sapateavam na região da Crimeia. O vírus ebola derretia a África Ocidental. O Estado Islâmico saía do armário e se assumia um califado.

Aprovado para cursar ciência política na NYU, mudei-me para Nova York num momento em que Nova York se mudava para não se sabe onde. Achei meu lugar no centro nervoso de Manhattan, capital do planeta, e me senti a duas quadras — no máximo, vinte minutos — de tudo o que acontecia de mais importante no século XXI.

No primeiro semestre, morei em um dormitório no edifício Weinstein, perímetro da Washington Square Park, coração de Greenwich Village, um dos bairros mais boêmios, charmosos e dinâmicos da cidade, frequentado por jovens artistas — ou simplesmente esquisitões pretensiosos — que se pretendiam *avant-garde*, à procura de um metro quadrado de fama, enquanto criticavam o sistema que podia lhes oferecer isso.

Eu passava todos os dias sob o Washington Arch, estrutura gigantesca que marca a entrada da Quinta Avenida, no lado norte. Os alunos da NYU se reuniam em torno de uma fonte central e se misturavam aos banhistas, deitados no gramado; que dividiam o espaço com os músicos, empunhando violões; que disputavam o público com os traficantes, enrolando cigarros de maconha; que chamavam a atenção dos cães, alheios a drogas lícitas ou ilícitas. Os tijolos e as luminárias *vintage* davam um ar cenográfico de século XIX ao ambiente, habitado por uma majestosa (e um tanto cafona) estátua de bronze de Giuseppe Garibaldi.

Dia após dia, eu acordava cedo para a aula, pegava um *bagel* com *cream cheese*, um café pelando, e ia comendo, bebendo e desviando do turbilhão de alunos que procuravam a sala da primeira aula naquele labirinto de prédios. Era incapaz de imitar a mim mesmo com cara feliz — não sou dos mais agradáveis pela manhã. Mochila nas costas, Huey Lewis and The News, Genesis, Tears for Fears ou Quincy Jones nos ouvidos, ia sozinho para a sala.

No caminho, era comum avistar algumas das celebridades que moravam por ali. Vi Alec Baldwin fazendo *cooper* matinal, Leo DiCaprio devorando pizza no Joe's, Jim Carrey numa loja de telefonia celular. No começo, parecia filme. Depois, parecia a minha vida mesmo. A surpresa meio caipira deu lugar ao costume meio *blasé*.

Minha temporada em Manhattan foi de profundas conflagrações nos Estados Unidos e no mundo. A inquietação borbulhava como se estivesse prestes a emergir dos bueiros e das gargantas na rua. As mídias sociais começavam a ter papel central na vida das pessoas e na comunicação política. Obama se aproximava do fim do mandato, frustrando a base do Partido Democrata, especialmente a comunidade negra que lhe dera votação recorde.

Tive uma professora de literatura chamada Ann Larson, militante do Occupy Wall Street. Protagonizamos embates memoráveis em sala de aula. Meus colegas, quase todos progressistas ou apolíticos, entretinham-se com nossas mútuas alfinetadas. Ambos não resistíamos a enfiar a colher da política na sopa da educação.

Eu sentia a ambiguidade como uma coceira. Nova York, em si mesma, era o palco de uma realidade contrastante e insolúvel, uma verdadeira contradição urbana e cultural, porque berço de Wall Street, da advocacia corporativa, do *mainstream* midiático e, ao mesmo tempo, dos bilionários que falavam em justiça social, dos ativistas sem atividade reconhecível, dos democratas que clamavam por censura ou boicote, dos estudantes que trocavam os livros por panfletos e as canetas por megafones. Mas, àquela altura, o parafuso da minha visão de mundo já estava apertado.

O Black Lives Matter começou como uma *hashtag* após o assassinato do adolescente afro-americano Trayvon Martin. O movimento ganhou a musculatura das causas justas e a gordura dos métodos suspeitos e se metamorfoseou numa força cívico-política nacionalmente reconhecida, com as manifestações de rua ganhando tração.

Em agosto de 2014, Michael Brown Jr., negro, 18 anos, foi morto por um policial branco chamado Darren Wilson, na cidade de Ferguson, Missouri. Brown estava acompanhado de um amigo, Dorian Johnson, de 22 anos. O conflito que teve o fim trágico foi uma briga de versões, em que o policial e a testemunha acusaram-se de mentiras. O fato é que, narrativas à parte, Michael Brown recebeu seis dos doze tiros que Wilson disparou.

O acontecimento provocou agitação em Ferguson. Uma investigação subsequente do FBI concluiu que não havia evidência de que Brown tivesse levantado as mãos em sinal de rendição, ou dito "Não atire", antes de ser baleado. No entanto, os manifestantes alegaram que ele havia feito isso, e passaram a adotar o slogan "Mãos pra cima, não atire". Os protestos, ora pacíficos, ora violentos, continuaram por mais de uma semana. A polícia estabeleceu um toque de recolher noturno. Cenas de barbárie eram transmitidas na televisão. A reação policial foi criticada pela mídia e pelos políticos. Acusações de insensibilidade e racismo aumentaram a voltagem do embate. O perigo de uma espécie de guerra civil fez com que o governador do Missouri, Jay Nixon, ordenasse às organizações policiais locais que cedessem grande parte de sua autoridade à Patrulha Rodoviária Estadual do Missouri. Um grande júri foi convocado e recebeu abundantes provas de Robert McCulloch, promotor do condado de St. Louis. Em 24 de novembro de 2014, McCulloch anunciou que o grande júri do condado de St. Louis decidira não indiciar Wilson. O caso abriu uma fissura na represa de ressentimentos que estouraria logo em seguida.

Os meses finais da minha temporada lá, em sala de aula e nas redondezas da NYU, foram ditados, em grande parte, pela agenda do Black Lives Matter. Primeiro, porque os confrontos se intensificavam, e a questão da violência policial contra negros viraria pauta permanente. Segundo, porque o vozerio de esquerda, com as boas intenções nem sempre se distinguindo das más práticas, esconderia, mas não por muito tempo, um murmúrio que começava a virar discurso, entre pessoas e grupos também pobres, também marginalizados, também vítimas de preconceito, que ganharia o apelido de "maioria silenciosa" e faria de Donald Trump o improvável presidente dos Estados Unidos. Em discussões, antecipei essa possibilidade a colegas de sala e professores. Riram de mim.

Não muito longe nem muito tempo adiante, no dia 16 de junho de 2015, a ancestral acomodação bipartidária sofreria um abalo sísmico de cor alaranjada e topete avantajado. Com a esposa e futura primeira-dama ao lado, Donald Trump desceu a escada rolante da Trump Tower, na Quinta Avenida, para anunciar a candidatura ao posto de homem mais poderoso do planeta. Poucos quarteirões de distância separavam meus ouvidos atônitos daquela retórica bruta, avessa às convenções de costume. Nem mesmo os republicanos foram capazes de calcular o grau do cataclismo que Trump representaria. John Oliver (HBO) e Jon Stewart (Comedy Central) comemoravam o acontecimento, prevendo farto material para piadas. Quem riria por último, no entanto, não seriam eles. Quando quiseram chorar, já era tarde. O que a elite progressista parecia não captar é que a globalização acelerou o processo de descolamento entre representantes e representados. Políticos não entendiam mais o idioma de enorme parcela do seu eleitorado, como se não fossem compatriotas, mas estrangeiros de um mesmo país. Para a sofisticada e um tanto alienante agenda do Partido Democrata, as aspirações de um chinês são mais compreensíveis que as privações de um texano e os gostos do nova-iorquino médio são compartilhados com os do holandês-padrão, mas não com os do habitante de Oklahoma. Cultivou-se uma espécie de provincianismo às avessas, segundo o qual tudo o que está lá fora interessa mais, e tem mais valor, do que aquilo que está aqui dentro.

O *zeitgeist** daquele momento estava colado nos muros, nos prédios, nos postes, nas esquinas, nos cruzamentos. O idioma incorporou a gíria da revolta: "Vidas negras importam", "Mãos ao alto, não atire", "Eu não consigo respirar", "O silêncio branco é violência", "Sem justiça, sem paz", "Meu filho é o próximo".

Eu sabia da tardia integração racial da sociedade americana, codificada em lei apenas em 1964, mas só ali pude compreender como essas tensões raciais ainda são uma cicatriz arreganhada no tecido social. Era uma realidade diferente, intermediada por livros e jornais, comparada ao cotidiano brasileiro em que cresci. Apesar da escandalosa desigualdade que define o Brasil, em geral, e o Rio de Janeiro, em

---

* Os alemães, que inventam palavras como brasileiros inventam leis, usam *zeitgeist* para falar do "espírito do tempo". O espírito do nosso tempo é o da velocidade, da fragmentação, da ansiedade. Precisamos fazer mais com menos, fazer muito com pouco, dizer tudo em 280 caracteres.

particular, não estamos acostumados a protestos maciços motivados por considerações raciais. Mas o destino quis que eu fosse morar no eixo do ativismo nova-iorquino. Sou grato por isso.

Pouco tempo antes do meu retorno ao Brasil, o magma explodiu em Staten Island, do outro lado da Estátua da Liberdade, a uma hora de onde eu estava, e a *hashtag* incendiou as principais metrópoles dos Estados Unidos. Em 17 de julho de 2014, Eric Garner foi morto por suspeita de vender cigarros avulsos sem selos fiscais. Garner negou o crime e retrucou à polícia que estava cansado de ser assediado. Os policiais tentaram prender Garner, que tentou se desvencilhar. Então, um policial chamado Daniel Pantaleo colocou o braço em volta do pescoço de Garner, aplicando um estrangulamento proibido por lei, e o empurrou para o chão. Enquanto vários policiais o subjugavam, Garner repetiu a frase "Não consigo respirar" onze vezes, esmagado contra a calçada. Ele acabou perdendo a consciência e permaneceu ali, por intermináveis sete minutos, até que uma ambulância chegasse. Foi declarado morto em um hospital próximo, apenas uma hora depois. Imagens do incidente — também conhecido como homicídio — circularam nas redes sociais e nos telejornais.

Lembro-me de assistir na TV, de uma cafeteria lotada de alunos atônitos, a um grande protesto se reunindo na Foley Square de Manhattan e atravessando a ponte do Brooklyn, enquanto outro começava no Harlem, logo após o grande júri decidir não indiciar Pantaleo. Grupos bloquearam o tráfego nas principais vias, como a West Side Highway. Protestos noturnos, que começaram no dia 4 de dezembro, levaram a mais de duzentas prisões, em grande parte por conduta desordeira ou recusa em limpar as ruas.

Em meados de dezembro de 2014, quase 30 mil pessoas se reuniram em uma gélida Manhattan para o Millions March NYC, partindo da minha vizinhança, em Washington Square Park, e marchando rumo ao norte na Quinta Avenida, em direção à 34th Street. Familiares de homens negros, desarmados e mesmo assim mortos pela polícia, lideraram a marcha, incluindo as famílias de Sean Bell e Ramarley Graham.

Mais adiante, a marcha deu meia-volta, rumou para o sul e percorreu a Broadway em direção ao One Police Plaza, a sede do Departamento de Polícia em Lower Manhattan, onde irromperam confrontos entre manifestantes e policiais. A revolta era mais pesada que o ar. Era um dos últimos dias do semestre na universidade, e decidi me infiltrar entre os manifestantes e acompanhá-los por alguns quarteirões. Eu sentia que a dor de muitos ali era genuína, era a dor hereditária dos que haviam sofrido ao longo da história americana, mas também parecia que uma pauta legítima estava sendo cooptada por operadores políticos, instrumentalizada por uma agenda partidária, sequestrada por lobistas da aflição alheia. Narrativas se sobrepunham a fatos. Perdas em vidas renderiam ganhos em urnas. Sofrimento se converteria em votos.

Trump seria eleito pouco tempo depois.

COM A GRAÇA DE DEUS, sobrevivi ao meu colega de quarto e seus amigos de esquerda, me despedi dos vizinhos famosos (eles não sabem até hoje que estive lá), resisti às tantas vezes sufocante doutrinação escolar, encontrei meu rumo em meio aos descaminhos da maior metrópole do mundo e, em dezembro de 2015, peguei o voo para o Brasil. Trouxe na mala algumas convicções ainda mais fortes, algumas dúvidas mais bem elaboradas e, sobretudo, experiências que livro algum me daria. Fui, vi, venci. E voltei.

Desembarquei no aeroporto do Galeão e, instantaneamente, como um filme que passasse na minha cabeça se eu tivesse uma experiência de quase morte, me lembrei de por que eu tinha e não tinha saudades do Rio de Janeiro. O Rio é um filme bonito e é também uma experiência de quase morte, se é que você me entende. É o estado em que o taxista, num dia bom, num dia muito bom, aceita lhe dar carona mediante substanciosa remuneração, porque lá, por princípio, em qualquer negociação, em qualquer acordo, o cliente nunca tem, teve ou terá razão. Que peça com jeito, que reze contrito. Na cidade mais bonita do mundo, *in dubio pro hell.*

Não que o Brasil, em geral, seja diferente. Mas a ex-capital de direito ainda é, e continuará a ser, a capital de fato do pior e do melhor do Brasil, uma condensação de uma sociedade criativa e reacionária, de uma classe artística poderosa e vitimista, de um Estado bagunçado e de um crime organizadíssimo, de um jeito de viver aberto e, por circunstâncias econômicas e sociais, limitado.

Saí da turbulência americana, que acontece de tempos em tempos, para chegar a um país — e num estado — onde os momentos de calmaria são mais raros que as turbulências. Aqui, a exceção é a regra e a regra é milícia de um lado, traficante do outro, praia no meio, Botafogo perdendo, Flamengo sendo favorecido pela arbitragem e político regendo a cacofonia.

Cheguei para encontrar um país que, depois de quatro desastrosos anos de governo Dilma Rousseff, resolveu brincar de roleta-russa com a arma completamente carregada e renovou para mais quatro temporadas desse seriado cheio de reviravoltas, explosões, escassez, mas sem alívio cômico.

Aécio Neves conseguiu perder e não soube perder. Metade do país reagiu mal à vitória da "gerentona", que seria demitida de qualquer microempresa em que porventura trabalhasse. Acredito que muito do que aconteceria depois começou ali, na contestação ao resultado, somada ao esgotamento do modelo lulopetista que nos esgarçaria o saco, frustraria as aspirações do povo e produziria cinismo em lugar de esperança. O *impeachment* veio e Michel Temer, o breve, pacificou institucionalmente o país, mas tinha uma pedra no meio do caminho, no meio do caminho tinha uma pedra — também conhecida como Joesley Batista. Alvejado em meio a conspirações editadas e orientadas, Temer fez o que pôde, mas já era tarde. Passou o resto do mandato se defendendo.*

Logo, Jair Bolsonaro deixaria de ser um meme carioca e ganharia as três dimensões do mundo real. No próximo capítulo, vou contar minha versão dessa história e expiar minha porção desse pecado.

---

* A delação premiada negociada por empresários do frigorífico JBS estremeceu o país em maio de 2017, quando o presidente Michel Temer foi acusado de incentivar o pagamento de R$ 500 mil ao ex-deputado federal Eduardo Cunha para que não revelasse informações à Operação Lava Jato.

CAPÍTULO 3
REINAÇÕES
DE JAIRZINHO

"Dê poder ao homem, e descobrirá quem ele realmente é."
ROBERT G. INGERSOLL (1833-1899),
político norte-americano

NA PRIMEIRA VEZ que li o nome de Jair Messias Bolsonaro num artigo do *InfoMoney*, era maio de 2014 e eu acompanhava com interesse o desenrolar da corrida presidencial brasileira. Ainda morava em Manhattan e estava deitado, bocejando, prestes a dormir, na véspera de uma prova sobre "Política Latino-Americana", que — ironia obscena — trataria de caudilhos populistas e do clientelismo estatal.

Tive sonhos intranquilos, como o personagem kafkiano Josef K.,* mas não acordei metamorfoseado num filho do Bolsonaro. Naquela época, veja só, estávamos em ano de eleição presidencial e ele se convidava como vice-presidente na chapa do Aécio Neves, descrevendo o fato como uma "grande honra". A bajulação não colou. Quem aca-

---

* No enredo do livro *O processo*, do checo Franz Kafka (1883-1924), o protagonista Josef K. é alvo de um prolongado processo judicial sem que lhe seja revelado qual crime cometeu. Desorientado em meio a uma atmosfera onírica de claustrofobia e surrealismo permeada de sonhos e pesadelos que se confundem com os fatos banais de sua vida normal, o livro produz uma trama em que a irrealidade tangencia a loucura.

bou com o posto foi o então senador Aloysio Nunes. E Aécio acabou consigo mesmo pouco depois.

Ficou no meu radar aquele deputado com personalidade histriônica e discurso estridente. Para alguns, por sua coragem contra o sistema, ele vinha se transformando num mito, e para outros, por sua irreverência contra a democracia, era uma grande ameaça.

EM 2015, VOLTEI PARA o Brasil e para o meu amado (e armado) Rio de Janeiro.

Depois de sentir de perto as colisões ideológicas e culturais nos Estados Unidos, me lembrei de uma ótima frase entre as tantas ótimas frases do gênio Millôr Fernandes: "Quando uma ideologia fica bem velhinha, vem morar no Brasil." Aquelas ideias de lá desembarcariam aqui, mais ou menos tortas e mal traduzidas, no ancoradouro de ideologias de segunda mão que se tornou o debate público brasileiro.

Com o fim da experiência americana, meu objetivo imediato era dar um jeito na vida antes que a vida desse cabo de mim. Aceitei um conselho do meu pai. Na verdade, fizemos um trato: eu me inscreveria no curso de Direito (na PUC do Rio) e ele me inscreveria na herança. Mentira: eu teria uma profissão "tradicional", quase uma apólice de seguro, antes de me dedicar integralmente à vida artística, quase uma declaração de falência. Paulo Marinho me ensinou a nunca contar com a sorte, com as conquistas alheias, com o dinheiro que não é meu. Ele é rico, eu não sou. Ele já perdeu dinheiro, eu posso perder tudo. Decidi estudar ciências jurídicas porque uniriam meu interesse por problemas políticos e sociais à minha necessidade de ter uma profissão que não fosse artística.

Anos depois, em 2017, meu pai promoveu dois eventos com notáveis formadores de opinião da sociedade carioca em torno do então prefeito de São Paulo, João Doria. Um deles aconteceu no Gavea Golf and Country Club, o outro em nossa casa, no Jardim Botânico, que meses depois viria a se tornar o QG da campanha presidencial de Bolsonaro.

Ele e Doria se conheciam havia décadas e tinham afinidade pessoal. Doria, naquele momento, vinha em ascensão meteórica e se apresentava como a grande novidade da política brasileira. Um *outsider* bem-sucedido, que captara os sinais de uma certa mudança de mentalidade no eleitorado. Ideias liberais se espalhavam por aí.

A imprensa entendeu o momento e, ora com viés positivo, ora com ironia, apelidou-o de "Furacão Doria", "CEO de São Paulo", "O Anti-Lula". Muitos o comparavam ao então presidente argentino Mauricio Macri, também empresário, rico, duas vezes prefeito de Buenos Aires e, por fim, presidente da Argentina. Doria ressaltava a proximidade dizendo que os anos de kirchnerismo foram "anos de populismo, como os do PT no Brasil".

Depois do *impeachment* da Dilma, em 2016, enquanto Michel Temer fazia o que podia para estabilizar o país e entregá-lo viável ao próximo presidente, sob o fogo cruzado de reacionários e progressistas, as movimentações para o ano eleitoral ganhavam força.

Em abril de 2017, o instituto DataPoder360 fez a primeira pesquisa de abrangência nacional após a divulgação dos vídeos das delações da Odebrecht, que citavam Alckmin e Aécio. Naquele momento, Doria aparecia em segundo lugar, com 13%, tecnicamente empatado com Bolsonaro, que tinha 14% das intenções de voto. Durante boa parte de 2017, Doria foi o tucano de bico mais bem posicionado na (pré) disputa pelo Planalto, mas se recusava a assumir a candidatura publicamente.

Com Geraldo Alckmin girando em falso e Aécio Neves frequentando as manchetes policiais, a ambição lhe subiu à cabeça. A Prefeitura de São Paulo se transformou numa espécie de *reality show* de um homem só:

Doria vestido de gari, fantasiado de pedreiro, dublê de jardineiro. Secretariado submetido à batuta gerencial do chefe. Exagerou na dose.

Essa obstinação virou excentricidade. Dentro do PSDB, partido de consensos difíceis, em que muita gente manda e pouca gente obedece, a imagem dele foi se desgastando. Com muito custo e a vaidade ferida, reconheceu que sua euforia era apenas sua. Por alguns motivos, bons e maus, a candidatura não emplacou.

Doria repensou o plano de se candidatar à Presidência da República. Mirou o Palácio dos Bandeirantes para já e deixou a presidência para lá. Reconheceu que Geraldo Alckmin, então presidente do partido, conseguira se impor e ganhara a dianteira na disputa interna do PSDB (após ter renunciado, em 2018, ao governo de São Paulo). Em seu entorno, falava-se da necessidade de submergir para reaparecer em um ambiente mais favorável. Assim sendo, meu pai ficou sem um candidato de sua preferência que promovesse a alternativa ao PT.

Por fim, quis o destino que ele reencontrasse um amigo de longa data: Gustavo Bebianno, a quem conhecera em 1991, no escritório do advogado Sergio Bermudes, um dos maiores processualistas do país e, para minha honra, meu padrinho de batismo.

Bebianno era um homem singular: faixa preta de jiu-jítsu, mas manso de coração; um guerreiro das suas causas que sabia o valor da paz. Para nós, um grande, um enorme amigo, que se juntou à família como se tivesse feito parte dela desde sempre.

A essa altura, enquanto Doria desistia em São Paulo, Bebianno via em Bolsonaro a única opção viável para emplacar uma coalizão de centro-direita, ancorada em princípios conservadores e fertilizada por ideias liberais. Naquele momento, a admiração pelo então deputado era sincera. Ele lutou e defendeu Bolsonaro do que considerava preconceito ideológico, que exagerava o valor de anedotas e entrevistas, vindo principalmente da esquerda, instalada no poder havia tempo. No mais, Bebianno acreditava verdadeiramente que o Capitão era um espécime domesticável pelas instituições. Aproveitando, então, a oportunidade, quis apresentar o pré-candidato a Paulo Marinho.

A reaproximação foi sacramentada no restaurante Gero, em Ipanema. Nesse dia, sabendo do encontro e, naquele momento, entusiasmado com o incipiente movimento político trazido a reboque por Bolsonaro e gerido por Bebianno, eu assistia a uma aula de Direito Tributário. Os títulos de crédito olhavam nervosamente para mim e eu olhava nervosamente para o relógio, doido para ir ao encontro deles. De meu pai e Bebianno, registre-se, não dos títulos de crédito.

Encerrada a aula, entrei no primeiro táxi que apareceu e voamos (no Rio, isso não é força de expressão) para o Gero. Cheguei na hora da sobremesa. Foi ali que conheci um entusiasmado Gustavo Bebianno. Ele fez prognósticos de campanha bastante otimistas e tentou nos convencer de que o projeto Bolsonaro ia além de suas limitações. Terminado o almoço, feitas as despedidas, voltamos para casa. No trajeto, meu pai se mostrou totalmente descrente. O apóstolo não o convencera da nova fé. Eu, no entanto, fui enfático: as conversas tinham de continuar. Aquilo me parecia (*mea culpa, mea culpa, mea maxima culpa!*) a chance inédita de um projeto ostensivamente conservador no Brasil. Pelo sim, pelo não, ele me disse que Bebianno levaria Bolsonaro à nossa casa em breve. O ilustre desconhecido, que nos invadiria a intimidade por longos meses, já figurava nas páginas da principal revista do país. Era um fenômeno a ser registrado.

EM NOVEMBRO DE 2017, a *Veja* tinha convidado Jair Bolsonaro para a sabatina "Amarelas ao Vivo", como é conhecida a "versão de palco" das tradicionais entrevistas das Páginas Amarelas da revista. Ele seria entrevistado pelo experiente jornalista Augusto Nunes, até então publicamente descrente do seu potencial eleitoral e, por conseguinte, seu desafeto, a quem vituperava aos quatro cantos de "esquerdista, safado, sem-vergonha". Bolsonaro não queria ir. Implicava que o evento fosse promovido pela *Veja*, que não lhe dava trégua.

Também pudera. Na edição do mês anterior, outubro de 2017, o rosto ominoso de Bolsonaro estampava a capa com o nada sutil título: *A Ameaça Bolsonaro: Com ideias extremistas e discurso insultuoso, o presidenciável já tem o apoio de 30 milhões de brasileiros e consolida-se em segundo lugar nas pesquisas.*

Foi a contragosto, após Bebianno o convencer da importância daquele encontro e da correção profissional de Nunes. Valeu a pena. Obteve grande êxito ao suavizar a retórica belicista, sem fugir de sua essência. Produziu frases virais, que a seu modo traduziam temas complexos e controversos para frases de efeito com tom popularesco:

"Querem colocar policiais no banco dos réus, mas no meu entender têm que ser condecorados. Policial que não mata não é policial."

"Se o [ditador norte-coreano] Kim Jong-Un lançasse uma bomba H em Brasília e só atingisse o Parlamento, você acha que alguém iria chorar?"

Sobre o então ministro da Defesa, Raul Jungmann, que é desarmamentista — fato, para Bolsonaro, "inaceitável", ironizou: "É a mesma coisa que você colocar em um centro cirúrgico um médico que tem nojinho de sangue."

Convenhamos, ele sabia o que estava fazendo.

Lá, disse em primeira mão: "estou namorando, e espero ficar noivo" de Paulo Guedes. O furo teve enorme repercussão, habilmente capitalizada em suas redes e junto ao empresariado. Como manda o bom manual de comunicação: *Know your audience*. Ele sabia com quem e para quem falava.

No rescaldo disso tudo, Bolsonaro se afeiçoou muito pelo Augusto Nunes, saiu de lá "apaixonado" por ele. Novo aliado, o ex-âncora do *Roda Viva*, ele próprio filho de uma tradicional família política de Taquaritinga no interior paulista e amigo de longa data do meu pai, foi a uma reunião em nossa casa, semanas depois, para dar alguns palpites e oferecer recomendações estratégicas ao candidato. Bolsonaro estava descomunalmente atento e engajado nesse dia. Dali em diante, Nunes se tornou o único membro da mídia tradicional em quem Bolsonaro aprendera a confiar. Logo após a vitória, contando com o entusiasmado apoio de Bebianno, Bolsonaro chegaria a oferecer o cobiçado comando da Secretaria Especial de Comunicação Social (Secom) do novo governo para Nunes, que declinou gentilmente.

NA MANHÃ DO DIA 18 de dezembro de 2017, sob "um sol de rachar catedrais", Jair Bolsonaro chegou a nossa casa acompanhado de Bebianno (e alguns seguranças). Veio numa Land Rover blindada, vendida a ele por Frederick Wassef, o agourento advogado que mais tarde esconderia Fabrício Queiroz, ex-motorista, assessor e operador de Flávio Bolsonaro, em sua casa em Atibaia.* Aliás, a casa onde morá-

---

* Em 18 de junho de 2020, a Justiça fluminense autorizou o mandado de prisão preventiva expedido pelo Ministério Público Estadual do Rio de Janeiro contra Queiroz por este estar fugindo da justiça, continuadamente cometendo crimes ao interferir na coleta de provas da Promotoria. O policial militar aposentado, envolvido com milícias cariocas, foi encontrado em um imóvel pertencente a Wassef em Atibaia que servia como seu esconderijo havia um ano, e foi preso na "Operação Anjo" (assim batizada pelo apelido do advogado entre os investigados) deflagrada pela Polícia Civil de São Paulo, pelo seu envolvimento direto no esquema em que, segundo a investigação, assessores de Flávio, então deputado estadual na ALERJ, eram coagidos a devolver um montante dos seus salários, e o dinheiro era lavado por meio de uma loja de chocolate e através de investimentos em imóveis.

vamos havia sido projetada por Oscar Niemeyer, comunista desde a Era Mesozoica, que deve ter se revirado no túmulo com a presença do "novo inquilino".

Bolsonaro atravessou marchando o jardim principal em direção ao anexo, onde aconteceria a reunião. Deu ordens para que Waldir Ferraz, vulgo Jacaré, seu macilento e sombrio assessor, motorista, segurança e sabe Deus mais o quê (melhor não perguntar), esperasse do lado de fora, quietinho, sem mexer em nada.

Cumprimentos feitos, notamos seu semblante apreensivo e ansioso. Bebianno fez as devidas apresentações. O nervosismo persistia. Bebianno falou amenidades. A falta de jeito permanecia. Até que vieram a jarra de suco de mamão com laranja e o biju de tapioca com recheio de manteiga e queijo *grana padano* derretido. Pronto.

Dona Rainê, nossa cozinheira, conseguiu involuntariamente o que Bebianno tentava sem sucesso. Bolsonaro ficou mais solto e começou a abrir a boca. Para comer e também para falar. Aliás, a Rai esteve conosco por 25 anos. Tínhamos ela e seus filhos em alta conta. Mas, durante a recuperação de Bolsonaro, a futura primeira-dama Michelle nos pediu que "emprestássemos" os serviços dela ao Capitão reformado. Ela foi e voltou. Mas não voltou de coração. O elo evangélico entre ambas, aliado à perspectiva de proximidade ao poder, foram o suficiente para Michelle "seduzir" a Rai. Percebemos que algo mudara. Tempos depois, ela pediria demissão de nossa casa e se mudaria para Brasília, onde mora até hoje — levando seus dotes culinários para o Palácio da Alvorada.

Enquanto engolia os quitutes e deixava cair o farelo nas calças, ele falou do imbróglio judicial que lhe tirava o sono e ameaçava sua candidatura, apesar da ajuda de Bebianno. Bolsonaro era réu em duas ações penais que tramitavam no Supremo Tribunal Federal (STF):

numa, era acusado de injúria e apologia ao crime; noutra, de incitação ao crime de estupro.

Você deve se lembrar. O caso teve origem em uma nada singela declaração do deputado, em dezembro de 2014, de que não estupraria a deputada federal Maria do Rosário (PT/RS) porque ela não merecia, por ser "muito feia", não fazendo seu "tipo". Não satisfeito, chamou a deputada de "mentirosa, deslavada e covarde". Esse é um notável traço seu. Ele se sente desconfortável na presença de mulheres. Mal cumprimentava minha mãe, por exemplo, ou o fazia sem jeito.

A Procuradoria-Geral da República (PGR) protocolou a ação contra Bolsonaro, instaurando o processo. Essa não foi a primeira vez que ele ofendeu a deputada gaúcha (Freud, se vivo estivesse, explicaria). Em 2003, durante uma entrevista à RedeTV!, no Salão Verde da Câmara dos Deputados, eles discutiram, e o nobre chegou a empurrar Maria do Rosário, ameaçando agredi-la e proferindo o antológico "Dá, que eu te dou outra!".

Bolsonaro já havia sido condenado pelo Tribunal de Justiça do Distrito Federal (TJ-DF), em 2015, a pagar indenização de R$ 10 mil à petista por danos morais, mas recorreu. Em agosto de 2017, quatro meses antes do nosso encontro, a Terceira Turma do Superior Tribunal de Justiça (STJ) manteve, por unanimidade, a condenação. Ele ainda poderia recorrer contra a decisão ao STF. Caso o Supremo confirmasse a sentença, Bolsonaro poderia ser punido com pena de três a seis meses de prisão.

Acontece que, em junho de 2016, a Primeira Turma do STF analisou a queixa-crime apresentada por Maria do Rosário, além da denúncia da PGR (Ministério Público Federal), e entendeu, por quatro votos contra um, que além de incitar à prática do estupro, Bolsonaro ofendera a honra da colega. Somente o ministro Marco Aurélio Mello foi contra a abertura das ações penais. Os ministros Luiz Fux,

Edson Fachin, Rosa Weber e Luís Roberto Barroso votaram a favor de que Bolsonaro se tornasse réu.

Recapitulemos a capivara do meliante: ele era réu em duas ações penais na Corte por causa do mesmo episódio, ambas relatadas pelo ministro Luiz Fux. Nesses casos, se viesse a ser condenado no STF, convém ressaltar que ele não se tornaria ficha suja, pois estava sendo condenado por crimes contra a paz pública (incitação ao crime de estupro) e contra a honra (injúria) em uma ação indenizatória por danos morais na esfera cível, o que não está previsto na Lei da Ficha Limpa. Ainda assim, poderia ter os direitos políticos suspensos.

Uma corrente no Supremo alertava para o artigo 15 da Constituição, que prevê a suspensão dos direitos políticos de quem tiver condenação criminal transitada em julgado — pelo período que durar a pena. Logo, a condenação do STF poderia ser transformada em uma denúncia de quebra de decoro parlamentar dentro da Câmara dos Deputados. Nesse caso, ele seria julgado por seus pares em Plenário e, se condenado, teria seu atual mandato cassado e perderia os direitos políticos por oito anos, o que inviabilizaria sua candidatura em 2018. Naquele momento, esse era o pesadelo de Bolsonaro.

Meu pai, embora relutante, concordou em providenciar uma assessoria jurídica à altura das "causas impossíveis" que pesavam sobre Bolsonaro, rezando para santo Expedito e acionando Antônio Pitombo, amigo de longa data, um dos mais experientes advogados criminalistas do país.

Bolsonaro de pronto indagou: "Mas quanto que isso vai custar? Porque eu não tenho nenhum tostão." Ficou satisfeito ao saber que meu pai conversaria com Pitombo para assumir a defesa *pro bono*. A ligação foi feita na hora. Pitombo ouviu o caso, entendeu o jogo e topou patrocinar a causa. Bolsonaro deixou cair mais aliviado o farelo nas calças, limpou mais relaxado a gordura da consciência no canto da boca e sorriu com a sinceridade fingida que é de seu feitio, como se fosse um candidato quase normal. As conversas prosseguiriam.

O que também prosseguiu, muito celeremente, foi a ação penal contra ele, que, em pânico, cogitou seriamente renunciar ao mandato de deputado federal para adiar o julgamento. Ele perderia o foro privilegiado e o processo retornaria à primeira instância, o que retardaria o trâmite legal e garantiria que Bolsonaro pudesse disputar as eleições a tempo. Ele acreditava em uma espécie de conspiração contra a sua candidatura. Bebianno auscultou coração e pulmões do STF e soube que não havia conspiração alguma.

No entanto, Bebianno seguia em Brasília e, numa quinta-feira à noite, foi chamado ao gabinete do deputado Onyx Lorenzoni, onde se encontravam os irmãos Abraham e Arthur Weintraub. Ironia: Arthur foi taxativo ao afirmar que Bolsonaro tinha de renunciar ao mandato na semana seguinte, pois havia um "golpe" em curso no Supremo para tornar o Capitão inelegível. Bebianno suplicou a Arthur que não desse sua opinião a Bolsonaro, pois ele certamente arriaria. Arthur prometeu. No dia seguinte, Arthur Weintraub e Jair Bolsonaro se encontraram casualmente no aeroporto de Brasília. Weintraub, homem de caráter irretocável, homem de palavra, deu a letra e traiu a confiança de Bebianno sem pensar duas vezes. Acuado, Bolsonaro se convenceu a renunciar, e coube a Bebianno dar um jeito de demovê-lo de sua açodada decisão.

Em fevereiro de 2018, Luiz Fux deu sequência à ação penal pública contra Bolsonaro, e marcou o interrogatório para o dia 4 de abril, antes mesmo de ouvir as testemunhas, atropelando a jurisprudência do Supremo (novidade?). Para sorte de Bolsonaro, pouco depois, em 27 de março, foi divulgado um despacho a propósito de uma decisão, determinando que as testemunhas de defesa remanescentes fossem ouvidas antes do interrogatório do réu Bolsonaro, interrogatório esse que colocaria um ponto-final na fase de instrução do processo.

Bebianno saiu do STF com a boa notícia, correndo rumo à Câmara. Chegou ao gabinete e procurou Bolsonaro, que estava no Plenário. Avistou o já-convencido-a-renunciar Bolsonaro murcho, melancólico, abatido, solitário, de braços cruzados, apoiado numa pilastra nas sombras do recinto. Bebianno correu em sua direção, agarrou forte seu braço e gritou: "RENUNCIAR É O CARALHO, PORRA!" Bolsonaro extravasou a alegria — mais alívio que alegria — e saiu abraçando quem estivesse pela frente no Plenário, até os petistas. O temor da inelegibilidade tinha acabado. Além disso, convém mencionar que, poucas semanas antes, o sempre precavido Bebianno já havia costurado o ingresso de Bolsonaro no Partido Social Liberal (PSL), propriedade do cacique pernambucano Luciano Bivar. Bivar entregou as chaves e transferiu a presidência do partido interinamente para que Bebianno o sucedesse no comando da sigla durante o período da campanha. Mal sabiam eles que Bivar firmaria ali o seu "negócio da China", pois estavam prestes a assistir ao crescimento do que antes era o seu irrelevante partido de aluguel, que, de nanico, se transformou em titânico ao surfar no tsunami eleitoral que se formava no horizonte.

Lembro-me de ouvir Bebianno mencionar esse episódio como um exemplo do perigo que a mania de perseguição provoca no julgamento de um político. Meses, anos depois, veríamos o presidente repetir esse padrão, tomar decisões equivocadas e insistir nelas, contra todas as evidências, por medo ou suspeitas que nem sempre se confirmam.

No fim, Bebianno viabilizou a candidatura do ponto de vista jurídico, partidário e financeiro — neste caso, um interessante *case* eleitoral: por meio da plataforma Mais que Voto, 20 mil doadores individuais contribuíram com 4,4 milhões de reais. Desse montante, foram gastos pouco mais de 2 milhões, e o resto seria (não sei se foi) destinado à Santa Casa de Juiz de Fora. Bolsonaro deve a ele — à sua memória — a faixa presidencial que leva no peito. Mas gratidão não é uma das suas poucas virtudes, como logo veríamos.

A CAMPANHA FOI FEITA na minha casa por falta de melhores e mais baratas opções. A procura por estúdios em São Paulo esbarrava no preço. Havia divergência sobre a sede: se no Rio ou na capital paulista. Ganhou o Rio. Na prática, aos poucos, começou a acontecer no anexo lá de casa. Encontros sucessivos deram ar de permanente ao que seria provisório. Paulo Marinho deu aval para que a estrutura, enfim, fosse montada. Saíram os aparelhos de musculação, entraram os aparelhos de eleição. Com a parafernália, uma equipe de aproximadamente quarenta pessoas começou a frequentar meu lar, já nem tão doce lar.

No dia a dia, Bolsonaro ficava alheio às discussões mais sérias sobre o conteúdo ou a estratégia da campanha. Parecia tímido, até certo ponto, ou sem paciência. Ele só se soltava em meio à equipe de segurança e aos agentes federais. Aí contava piadas sem graça e, na falta de claque, gargalhava de si mesmo, uma gargalhada sem jeito, como um ator sem plateia.

Era uma campanha que, a princípio, não tinha nada. Só tinha (intenção de) voto. Pouco dinheiro, muito improviso. Bolsonaro chegava de manhã, sempre acompanhado por Tercio Arnaud, um dos idealizadores do "Gabinete do Ódio".* Bolsonaro era obcecado por pesquisas

---

* Em fevereiro de 2022, a Polícia Federal, em relatório enviado ao STF, confirmou a existência de um "Gabinete do Ódio". Estrutura gestada no Palácio do Planalto, umbilicalmente ligada ao presidente da República e seus filhos, o gabinete tem o intuito de promover desinformação e atacar adversários e críticos do governo.

eleitorais. Pedia a Tercio que conferisse os números diariamente, às vezes mais de uma vez por dia, e lia as pesquisas em voz alta. Nada mais longe da verdade do que a imagem que pretendeu passar, de que não se importava com os números — e não confiava nos institutos de pesquisa. Atrás das câmeras, era bem o contrário.

Conforme a campanha avançava, jornalistas dos mais variados veículos de mídia faziam plantão diante da nossa casa. Bolsonaro já não era só meme: era notícia de verdade. Meu pai sempre os tratou com respeito. Marcos Carvalho, marqueteiro da campanha, que comandou toda a equipe audiovisual, dava mais atenção às setoristas Constança Rezende, Jussara Soares e Barbara Baião, que roíam o osso da apuração diária enquanto os mais ilustres, como Merval Pereira, José Maria Trindade, Gerson Camarotti, Sonia Racy e Andréia Sadi queriam o filé da notícia exclusiva. Os medalhões apareciam como se visitassem um zoológico. Queriam dar uma espiadinha no antediluviano animal político que circulava por ali. Coube a meu pai e a Gustavo Bebianno desfazer mal-entendidos e aliviar a tensão. Ambos equilibrados e sensatos, sabiam que a relação do então candidato com a imprensa nunca tinha sido das melhores. Trabalharam para que fosse menos ruim. Conseguiram, até certo ponto.

O mesmo não se pode dizer da vizinhança. Muitos eram críticos a Bolsonaro, e aproveitaram o desassossego para prestar queixas à polícia ou à segurança do bairro. Mas era inevitável: a popularidade do candidato era grande justamente nesse nicho. Policiais e seguranças estavam com ele e, não por acaso, faziam vista grossa às reclamações dos vizinhos, que, com o tempo, cessaram. Em breve, o zum-zum-zum teria fim.

Alguns dos encontros mais pitorescos daquele primeiro momento foram com os influenciáveis influenciadores bolsonaristas. Bebianno assumiu as despesas para que Flavio Morgenstern, Allan dos Santos e Bernardo Küster viessem de São Paulo e Brasília e participassem de uma *live* que juntaria Paulo Guedes e Bolsonaro pela primeira vez. A transmissão, feita simultaneamente no YouTube e no Facebook, ocorreria no mesmo horário da participação de Geraldo Alckmin na sabatina da GloboNews. Um jantar de extrema fartura foi servido a todos, que se regalaram. Primeiro o pão, depois o circo.

Com o bucho cheio e a cabeça vazia, Bolsonaro, Guedes, Flávio e os assessores não remunerados foram para o escritório. A sabatina chapa-branca, batizada de "O Brasil Entrevista Bolsonaro", estava sendo organizada por Carlos Bolsonaro, equilibradíssimo, para não dizer o contrário. No entanto, problemas de imagem e som irritaram a audiência massiva. Flávio e Carlos, nos bastidores, não se... "entendiam" muito bem. Ali e sempre. Prefiro não registrar aqui os adjetivos usados durante a discussão que acabou se desenrolando, mas, basicamente, Carlos estava sendo Carlos e queria o controle de tudo: desde a senha do wi-fi ao volume do microfone, e isso atrapalhou demais a transmissão. Ainda assim, a missão de superar os números de audiência da GloboNews com Alckmin, que aceitara trocar a data com o candidato do PSL, foi bem-sucedida (convenhamos, não era uma tarefa muito difícil).

NA NOITE DO DIA 3 de agosto, um dia após a *live*, Bolsonaro chegou ansioso ao QG. Estava acompanhado de Julian Lemos, coordenador de sua campanha no Nordeste, do filho Flávio Bolsonaro e do inseparável Fabrício Queiroz — pivô das rachadinhas, ponta de lança da primeira crise de corrupção em que o governo esteve envolvido. Carregava umas cinco folhas de papel com suas ideias. Era nítida sua apreensão diante do que seria o primeiro contato — ou confronto — com a tropa de elite do jornalismo da Globo, sua inimiga predileta.

No ensaio geral, fizemos um semicírculo e ele, com a mastodôntica sutileza que lhe é própria, sacou uma pistola da cintura (sim, *sacou uma pistola da cintura*), colocou-a na mesa com força e, num tom exageradamente sério, perguntou:

"E aí?! Vai ser pelotão de fuzilamento ou não vai!?"

Compreendo que enfrentar Míriam Leitão, Valdo Cruz, Merval Pereira, Andréia Sadi, Fernando Gabeira, Gerson Camarotti, Mario Sergio Conti, Cristiana Lôbo e Roberto D'Avila simultaneamente não deve ser fácil, mas sua brutalidade revelava uma insegurança acima da média para quem pretendia disputar o cargo que ele postulava. Demos sugestões e tentamos orientá-lo em questões técnicas, mas ele estava comprometido em memorizar o famigerado editorial escrito por Roberto Marinho em 1984,[*] quando o Grupo Globo declarou apoio ao regime militar instaurado após o golpe de 31 de março de 1964. Ele só pensava — e ainda pensa — *naquilo*.

A pouca atenção dele foi de vez pro beleléu quando os croquetes de carne foram servidos. A política que esperasse. Ele engolia um atrás do outro e lambia os dedos. Ignorou o *media training* e deixou de lado o editorial golpista para cair de boca no croquete. Resignados, coube a nós torcer. O programa estava marcado para começar às 22h15. O país inteiro aguardava com ansiedade (e sem croquetes).

Às 21h45, Flávio e Bebianno estavam aflitos. Queriam ir pra Globo. Bolsonaro não estava nem aí. De repente, ele chamou todo mundo e gritou: "Vamos sair daqui faltando quinze minutos, pra deixar eles lá bem nervosos!"

---

[*] Apenas um ano antes da reabertura política de 1985, que concluiria os 21 anos de regime militar e fundaria a Nova República com a eleição indireta de Tancredo Neves.

Passados quinze minutos, subimos as escadas com pressa. Bolsonaro parecia leve. Dava pra sentir que teria uma noite boa (nos seus termos), apesar da imprevisibilidade que sempre o cerca. Entramos no Corolla preto blindado, carro oficial da ALERJ de Flávio Bolsonaro, Fabrício Queiroz (!) ao volante. O trajeto para a sede da Globo era curto, mas Bolsonaro pediu para que Queiroz fosse bem devagar. Desceu a rua Lopes Quintas com a velocidade de um cágado manco. Quanto mais perto chegávamos, mais pesado era o silêncio no carro.

Flávio, duro, olhava para a frente, incapaz de disfarçar a tensão. Bolsonaro conferia alguma coisa no WhatsApp, sua fonte primária, secundária e terciária de informação. Dei uma espiadinha na sua tela e li o nome de Janaina Paschoal no topo. Naquele momento, ela era a favorita de Bebianno para o posto de vice. Em tese, seria ideal para mitigar a rejeição de Bolsonaro junto às mulheres e consolidar de vez o sentimento antipetista rumo à candidatura, dado que Janaina ganhou notoriedade como uma das autoras do pedido de *impeachment* da presidente Dilma Rousseff, junto com os juristas Miguel Reale Júnior e Hélio Bicudo, e participou ativamente na tramitação do processo na Câmara dos Deputados e no Senado. Deu pra ver uma infinidade de mensagens com textões colossais, centenas não lidas, muito menos respondidas, por Bolsonaro. Notei Bolsonaro impaciente, resmungando. Até que não se aguentou e verbalizou o que estava na cabeça: "Puta que pariu, essa Janaina é chata pra cacete!"

Quando já nos aproximávamos da entrada, Bolsonaro olhou pros lados, percebeu que tínhamos chegado e, como o aluno mal preparado que nem pra fazer cola serve, virou para o Flávio e perguntou: "Ô Flávio, o que que é o tal do pacto federativo mesmo?" Flávio engoliu em seco, hesitou alguns segundos e murmurou: "Tem a ver com os impostos, pai, os impostos." Por acaso, eu havia estudado não fazia muito tempo o tema na aula de direito tributário. Resolvi ajudar: "Capitão, o pacto federativo define como a receita dos tributos arrecadados vai ser distribuída entre os entes da Federação, e a lógica desse sistema é que os estados e municípios mais pobres recebem a maior parte da arrecadação e..." Sem me deixar terminar, ele agradeceu e me entregou sua arma pra que eu a guardasse no bolso do banco dianteiro. A última coisa que eu queria era ser fotografado com a arma do Messias. Quando olhei para os lados, vi que era o último a sair do carro.

O enxame de jornalistas começou a disparar os cliques. Bolsonaro, ressabiado, mas, como um boxeador azarão, resoluto e cheio de confiança, entrava na arena. Bombeiros, seguranças e funcionários da Globo demonstravam admiração. Era seu público. Seu eleitorado. Ele fez questão de cumprimentar todos. Os executivos da emissora carioca estavam perfilados, inegavelmente tensos, aguardando a chegada do candidato. Bolsonaro, obviamente, não fazia ideia de quem eram eles. Estavam lá Ali Kamel, diretor-geral de jornalismo da Globo, e Miguel Athayde, diretor de jornalismo da GloboNews e marido da jornalista Renata Vasconcellos. Postados na entrada da recepção, eles eram ignorados por Bolsonaro, que se ocupava em tirar fotos e falar com os penetras que se meteram ali. Ao notar a presença do chefão da Globo, sem saber quem ele era, disparou: "Opa, tem algum lugar aí pra eu tirar uma água do joelho antes de começar?!" Ali Kamel, constrangidíssimo, deu as boas-vindas e indicou o caminho do banheiro...

Então, seguimos até o estúdio subterrâneo da Central GloboNews Eleições 2018, onde Bolsonaro comeu o que havia na mesa. Maquiagem pronta, era tempo de encarar o "pelotão" global. No trajeto, mais fotos, mais risadas, mais Bolsonaro em seu elemento: tratar tudo como se fosse um esquete. Era impressionante o assédio de funcionários nos bastidores da GloboNews, descaradamente pedindo selfies, todos saltitantes. Lembro-me de um que não conseguiu fazer seu registro e gritou "Bolsonaro! Tira foto com seu fã aqui na volta!", ao que ele respondeu: "Na volta, preciso saber se eu vou estar vivo!" E gargalhou.

Faltando menos de dois minutos para o início do programa, acomodou-se na poltrona vermelha, enquanto nós nos arranjamos para assistir à sabatina.

O RESULTADO É CONHECIDO por todos: Bolsonaro venceu — nos termos dele. Embora experientes, aqueles grandes jornalistas não perceberam que, se levassem a conversa para o campo dos costumes e da moral, Bolsonaro faria pontos. Ora, questionar suas declarações em favor da ditadura militar e do endurecimento das penas, ou mesmo as mais problemáticas, de teor racista, misógino ou homofóbico, era fazer as perguntas que ele queria responder. A comunicação política consiste em falar para o próprio eleitorado, e não para o eleitorado alheio. Em vez de levar o papo para as áreas técnicas, institucionais, burocráticas, permitiram que ele distribuísse as cartas. Ele as embaralhou, cortou e distribuiu como quis. Tergiversou sobre o que não sabia, jogou na conta de Paulo Guedes o que ignorava, enrolou, no seu modo irreverente, quanto pôde. Até que deu o tiro fatal.

Roberto D'Avila (logo ele, um dos melhores amigos do meu pai, um tio para mim) insistiu na pauta. Quis saber de Bolsonaro se o Brasil teria ou não passado por uma ditadura militar. Os olhos do então candidato brilharam. Ao responder a D'Avila, discursou, quase inocentemente: "Eu quero aqui elogiar... saudar a memória do senhor Roberto Marinho. Editorial de capa do jornal *O Globo* de 7 de outubro de 1984: 'Participamos da Revolução de 1964, identificados com os anseios nacionais de preservação das instituições democráticas ameaçadas pela radicalização ideológica, distúrbios sociais, greves e corrupção generalizada.'" Bolsonaro então perguntou a Roberto D'Avila: "Roberto Marinho... o senhor acha que ele foi um democrata ou um ditador? Eu acabei de falar, por favor, me responda, um democrata ou um ditador?"

Truco!

O desfecho não poderia ter sido melhor para Bolsonaro. Terminada a entrevista, Míriam Leitão recita um editorial preparado pela Globo, com a "ajuda" do ponto eletrônico que estava com *delay*. A experiente jornalista é colocada para reafirmar os valores democráticos da empresa, a despeito do posicionamento controverso de seu fundador. Era o revisionismo da própria história feito ao vivo, diante do público, que respondeu sem piedade.

Bolsonaro seguiu à risca a máxima de Napoleão: "Nunca interrompa seu inimigo enquanto ele estiver cometendo um erro." Fim de papo na Central GloboNews: Bolsonaro 7 × 1 Globo.

Quando veio ao nosso encontro, estava radiante. Sabia que tinha vencido. Nem tanto por mérito próprio, mas por demérito alheio. Enquanto ria sem pudor, recebia os cumprimentos dos jornalistas, que, de certa forma, reconheciam a derrota. Na saída, chapado de dopamina, ele pega Bebianno e meu pai pelos braços e diz: "Mandei tão bem, mas tão bem, que assim que pisar em casa vou dar uma na patroa!"

Mas isso ninguém tinha interesse em conferir.

APÓS CONSOLIDAR seu status de líder das pesquisas nos cenários sem Lula, ele queria evitar a participação nos debates. William França, ex-diretor na área de comunicação da Câmara dos Deputados e assessor de imprensa de vários ministros, tinha sido contratado por Marcos Carvalho para ajudar Bolsonaro na preparação para o debate nos estúdios da Band, em 9 de agosto: durou apenas um dia no cargo. Carvalho, Guedes, General Augusto Heleno, Onyx, Bebianno, Julian e outros se reuniram para uma sessão preparatória no Hotel Slaviero, na Alameda Campinas, Jardim Paulista. A expectativa era grande para aquele primeiro conflito ostensivo de estilos, ideias e propostas entre os candidatos. Esperava-se que candidatos de partidos tradicionais e com resultados pouco animadores nas pesquisas atacassem especialmente Bolsonaro. Só que, mais uma vez, Bolsonaro quis ficar no quarto do hotel e ignorou a sessão com perguntas e respostas preparadas por Carvalho e França.

O saudoso Ricardo Boechat, melhor amigo do meu pai e mediador do debate, me convidou para assistir a ele. Topei na hora. Enquanto me ajeitava num dos assentos, notei a presença, à esquerda, de Pérsio Arida, um dos artífices do Plano Real e conselheiro-mor econômico de Alckmin, e à direita, Paulo Guedes, seu desafeto, *persona non grata* na academia e avalista liberal de Bolsonaro. Era nítido o desprezo entre eles, que não se cumprimentaram.

Enquanto a clássica vinheta de Eleições da Band era tocada, Bolsonaro permanecia sentado em seu banquinho, e assim ficou durante toda a apresentação do primeiro bloco, talvez deliberadamente para mostrar que era o rebelde, o do contra, o avesso às convenções. O adolescente mental, enfim. Bebianno e Magno Malta, durante os intervalos, iam até ele com alguma orientação. Bolsonaro ficou irritado com o deboche e as provocações de Guilherme Boulos, mas conseguiu manter um (em se tratando dele, relativo) equilíbrio. Nos momentos enfadonhos, ele se distraía. Os assessores, na plateia, jogavam Candy Crush e Paciência. Fora do alcance das câmeras, enquanto Marina

Silva e Geraldo Alckmin altercavam, os demais cochichavam e riam. Mais pro final, Bolsonaro passou a falar de si mesmo na terceira pessoa. "O único que pode romper essa barreira, o 'istébilish', a máquina, o sistema, é Jair Bolsonaro! Nós temos moral e honestidade para cumprir essa missão." Tudo normal dentro da anormalidade costumeira. Fim dos trabalhos.

Bolsonaro saiu em sua Land Rover abarrotada, gritando que nunca mais voltaria a debater. Mas ele voltaria, pelo menos uma vez mais, em 17 de agosto na RedeTV!, onde seu desempenho não seria tão bom, ofuscado por um momento memorável: Marina Silva, tida como frágil e amistosa, enquadrou o voluntarioso adversário com destemor e protagonizou alguns minutos de bastante rispidez. Ponto pra ela.

A NOITE DE 27 DE AGOSTO foi a segunda e última vez em que Carlos Bolsonaro esteve conosco em nossa casa, na reunião de preparação para a sabatina do *Jornal Nacional*. Chegou de moto, abri a porta para ele. Desconfiado, exagerando na formalidade, entrou, logo seguido pelo pai, que, exibindo uma gravata nas cores preta e branca — "do Fogão" —, chegou a me perguntar se eu aprovava a peça. Era de fato bonita. Disse que tinha sido uma boa escolha. Seguiu para o estúdio e gravou a pílula de oito segundos, que viria a ser o primeiro programa veiculado no horário eleitoral: "Vamos caminhar juntos em defesa da família e da nossa pátria! Rumo à vitória!"

Bolsonaro chegou ostentando o kit gay.* Era (ou lhe parecia) sua bala de prata. O desafio para aquela entrevista era triplo: romper o

---

* Bolsonaro chamava de kit gay a cartilha "Escola sem homofobia", idealizada pelo Ministério da Educação ao longo das gestões de Lula e vetada em 2011 durante a gestão de Dilma Rousseff.

filtro do *mainstream* e apresentar o "verdadeiro" Bolsonaro; conquistar a simpatia dos eleitores do Nordeste; diminuir a rejeição entre as mulheres. Na prática, é como se o Bolsonaro das mídias sociais precisasse ser traduzido para a mídia televisiva, ainda bastante relevante e mais tradicional. A maior dessas oportunidades seria justamente a entrevista ao *Jornal Nacional*.

Bolsonaro, Carlos, Guedes, Bebianno, Julian Lemos e Helio Negão — que meros dois anos antes havia obtido estrondosos 480 votos em sua tentativa frustrada de se eleger vereador por Nova Iguaçu e que estava prestes a se tornar o deputado federal mais votado pelo Rio de Janeiro naquele pleito de 2018 — sentaram-se à mesa de jantar para conversar sobre os temas que poderiam ser discutidos, e debateram sobre as possíveis respostas e réplicas em relação aos seguintes tópicos: 1) Acusação de utilização de funcionária-fantasma. 2) Auxílio-moradia. 3) Caso JBS-Friboi. 4) Diferença de salário entre homens e mulheres. 5) Processo por racismo. 6) Caso Maria do Rosário. 7) Limitado conhecimento de economia.

O então senador capixaba Magno Malta, espaçoso e palpiteiro, apareceu nesse dia. Pediu que todos os presentes nos déssemos as mãos e rezássemos um pai-nosso e uma ave-maria. Carlos, Flávio, Julian, Bolsonaro, Guedes, Negão, Tercio, meu pai, eu, Bebianno, Marcos Carvalho e Magno Malta puxamos a reza. Dessa vez, eu e meu pai optamos por assistir em casa, enquanto Bolsonaro e sua trupe partiram novamente para os Estúdios Globo, agora para enfrentar a dupla William Bonner e Renata Vasconcellos. Lá, ele chegou a sacar o famigerado kit gay,* apontando o que julgava ser

---

* Bolsonaro exibiu na sabatina o livro *Aparelho sexual e cia*, cotado para ser incluído na cartilha "Escola sem homofobia".

indecente no livro, mas as câmeras por pouco se esquivaram do entrevistado, que foi prontamente repreendido pela dupla de apresentadores. As câmeras não chegaram a focar o conteúdo, mas, com aquela audiência monstruosa e o Brasil ansioso, o resultado foi o esperado.

A entrevista foi ainda mais tensa do que havia sido na GloboNews. William Bonner e Renata Vasconcellos não conseguiram esconder a repugnância pelo então candidato, que, educado como de costume, chegou a questionar a diferença salarial entre ambos os apresentadores. Os dois foram criticados por isso. Na visão de muita gente, a despeito de qualquer coisa, eles deveriam ter feito uma entrevista mais propositiva e não de confronto. Pior para eles: Bolsonaro saiu-se razoavelmente bem aos olhos da audiência, que começava a ficar de ânimos acirrados com o que considerava perseguição ao seu preferido. Mais uma vez, eu percebia que a mídia tradicional não estava entendendo que as regras do jogo haviam mudado. E Bolsonaro, por incapacidade de fazer outra coisa ou por genuína esperteza política, sabia jogar com as novas regras.

A ESCOLHA DO VICE geraria embates internos bastante interessantes. Não foi fácil chegar ao nome de consenso (que, veríamos adiante, geraria dissenso). A lista é longa e o elenco é variado.

O nome dos sonhos (imaginem o dos pesadelos...) era o então senador Magno Malta, que vinha se destacando com um discurso antipetista inflamado e seu prestígio junto ao público evangélico. Curiosamente, Magno Malta não colocava fé na candidatura do futuro presidente. Cortejado, optou pela tentativa de reeleição no Espírito Santo. Malta até tinha algum apelo nacional, mas se esqueceu de combinar com os capixabas. Como diz a Bíblia, a soberba precede a queda.

O General Augusto Heleno, adepto da linha dura do Exército, chegou a ser anunciado, mas não conseguiu se desvencilhar do seu partido, o PRP, que mandara Bolsonaro às favas porque dependia de deputados federais para ultrapassar a cláusula de barreira. Num episódio revelador, Julian ouviu Heleno vociferando ao telefone com outro general: "Esse capitão é um despreparado, ele vai ganhar, mas não tá pronto para encarar esse desafio. Nós vamos ter de controlar e domar ele para tomar conta desse governo."* Julian gravou Heleno e mostrou para Bolsonaro, que ficou contrariado, mas nada fez, pois sabia que precisava da influência de Heleno a seu favor.

Logo em seguida, Joice Hasselmann foi sondada. Bebianno, Bolsonaro e Julian a visitaram na casa dela. Apesar da perspicácia e da presença midiática, o temperamento excessivamente combativo de Joice acabou repelindo Bolsonaro.

Depois foi a vez de cortejar a hesitante Janaina Paschoal. Mas na convenção do PSL, em 22 de julho de 2018, sentada ao lado de Bolsonaro e, para todos os efeitos, virtualmente escolhida, ela fez um discurso evasivo, em que não endossava expressamente o futuro presidente. Não pegou bem. O homem queria (e quer) adesão integral e subserviência plena. Bebianno ficou frustrado, porque havia sido muito contundente na defesa dela, especialmente para atrair o voto feminino. Janaina não comprou o projeto e optou por disputar a vaga para deputada estadual por São Paulo. Decisão acertada, sob certo aspecto, pois ela teve a maior votação de um cargo legislativo na história brasileira, com mais de 2 milhões de votos.

---

* No livro *Tormenta, o governo Bolsonaro: crises, intrigas e segredos*, Thaís Oyama também menciona essa conversa telefônica. Na época do lançamento do livro, o General Heleno desmentiu os fatos. No entanto, como se vê, parece que houve outras testemunhas.

Se os civis não davam conta, um príncipe encantado daria. Luiz Philippe de Orleans e Bragança chegou a assinar a documentação para formar a chapa. Inclusive foi dada entrada no TSE. Só que, no dia em que Bolsonaro e seus assessores teriam a decisiva conversa para selar o acordo, o príncipe se atrasou um pouquinho. Três horas. Marcaram às nove da manhã e o herdeiro da família real chegou ao meio-dia, não me lembro se numa carruagem. Bolsonaro ficou revoltado. Sua Alteza, por sua vez, agiu como se nada tivesse acontecido. Bolsonaro quis ir sozinho com o príncipe no carro, deixando a dupla Bebianno-Julian para trás. Foram à casa de Carlos Bolsonaro, que detestava receber visitas. O clima era tenso. De repente, o príncipe se virou para um dos delegados da PF responsáveis pela segurança de Bolsonaro e perguntou se o vice-presidente também teria direito a um aparato completo de segurança. A pergunta caiu mal. Bolsonaro assistiu àquela "performance" com irreprimível desprezo, olhou de soslaio para Julian e fez um sinal com a cabeça, como quem tivesse decidido alguma coisa.

Às cinco da manhã, Julian e Bebianno foram acordados abruptamente por Bolsonaro, que, de fato, tomara uma decisão que não lhes agradaria. Entre os plebeus, corria a fofoca de que o príncipe não era exatamente um conservador em matéria de costumes. Pronto: para Bolsonaro, virou sapo. A falta de opções despertou temores de que o escolhido seria um militar. Bebianno e Julian se preocupavam com a possibilidade de uma chapa pura de milicos afastar os eleitores moderados. O nome de Hamilton Mourão foi cogitado. O argumento de Bolsonaro foi estritamente técnico: não tentariam matá-lo, por medo de que Mourão assumisse. Ou seja, se depois de eleito ele morresse, Mourão seria presidente. (Lembrem-se: isso foi antes da facada.) Enfim, decretou: "O vice vai ser o Mourão."

Horas antes da convenção, Mourão foi confirmado. Horas depois, fomos surpreendidos com uma ligação: Bolsonaro convidava meu pai para ser primeiro suplente na chapa do filho, Flávio, candidato ao Senado pelo Rio de Janeiro. Paulo Marinho teria experiência suficiente para orientar o 01 nos corredores de Brasília. Convite aceito.

CAPÍTULO 4
"PERDOA-ME POR ME TRAÍRES"

"A política ama a traição,
mas abomina o traidor."

LEONEL BRIZOLA (1922-2004),
político gaúcho-fluminense

NO DIA 5 de setembro, um dia antes do atentado, a equipe de Marcos Carvalho tinha acabado de receber da gráfica o banner estampado em um painel com a logomarca da campanha. O B17 em verde e amarelo. Bolsonaro chegou cabisbaixo, pensativo, resfriado. Parecia já sentir na alma o que estava para sentir no corpo. Gravou sua sempre breve chamada para a TV, que seria veiculada no dia seguinte, afirmando: "A família é a base da sociedade. Vamos juntos mudar o destino do Brasil. Um forte abraço a todos e fiquem com Deus." Além disso, gravou mensagens anunciando a criação da plataforma "Voluntários da Pátria", criada pela equipe, convidando produtores de conteúdo independentes a se cadastrarem na plataforma para poderem, assim, criar e divulgar postagens de apoio à campanha. A iniciativa foi um sucesso, com 50 mil cadastrados.

Pouco depois, Flávio posicionou sua câmera para uma selfie com Bolsonaro e me convocou a fazer uma imitação de seu pai, pedindo voto para a chapa Flávio Bolsonaro-Paulo Marinho 177, e Bolsonaro presidente 17. Foi a primeira vez que apareci em público imitando Bolsonaro. Flávio postou o vídeo no Instagram e logo as redes viralizaram a chamada. Impressionados, todos queriam saber quem era aquele imitador que fazia um Bolsonaro mais real que o próprio. Na saída, Bolsonaro fez uma das suas intimações, escalando a mim e a meu pai para estarmos com ele, às cinco da manhã, no desfile militar na avenida Presidente Vargas, no Centro do Rio, em comemoração ao Dia da Independência. Aceitamos o chamado, mas o evento não contaria com a presença de nenhum de nós.

No fatídico 6 de setembro, nenhuma regra de segurança foi obedecida. Por acaso, naquele momento, Bolsonaro estava sem o colete à prova de balas que sempre utilizava. O local em que Adélio Bispo o esfaqueou não fazia parte do trajeto predeterminado. Bolsonaro estava indo no embalo da massa, boiando naquele mar de simpatizantes, quando sofreu a facada.

Deu entrada na Santa Casa de Misericórdia de Juiz de Fora às 15h40. Ferido no abdômen, sofreu um severo trauma na artéria mesentérica, que leva sangue da cavidade abdominal para o intestino, além de perfuração no intestino delgado e no cólon transverso, o que causou uma grave hemorragia. Os médicos que o atenderam viram uma cena de tirar o apetite por uma década e meia: sangue, suor, lágrimas e demais fluidos e secreções, se é que me entendem, escorriam do candidato. Bebianno nos contou que, caso a hemorragia continuasse naquela proporção por mais cinco minutos, e a facada tivesse sido poucos milímetros mais precisa, a morte teria sido instantânea.

Bolsonaro estava pálido, a boca arroxeada, tremendo muito ao chegar à Santa Casa. Marcelo Álvaro Antônio, então deputado federal por Minas Gerais e provinciano futuro ministro do Turismo, ficou com uma das mãos ferida na confusão. Foi ele uma das pessoas que carregaram Bolsonaro para dentro do carro da Polícia Federal, retirando-o às pressas da cena do crime. A primeira reação de Bebianno foi partir para cima de Álvaro Antônio, porque a ideia de passar em meio à multidão em Juiz de Fora havia sido colocada em prática por ele. Mas Bebianno não tinha tempo a perder. Já no centro cirúrgico, a recepcionista achou uma ótima ideia tirar fotos e vazar vídeos de Bolsonaro urrando de dor. Foi denunciada por Marcos Carvalho, e seu telefone, confiscado por um policial.

Flávio Bolsonaro veio imediatamente a público, por meio de suas redes sociais, na tentativa de controlar a histeria e botar panos quentes, dizer que havia sido apenas um susto, que estava tudo bem, que "Jair Bolsonaro sofreu um atentado agora em Juiz de Fora, uma estocada com faca na região do abdômen, mas, graças a Deus, foi apenas superficial e ele passa bem". No hospital, seu pai era submetido a uma cirurgia de altíssimo risco. Bastaram trinta minutos para que as fotos e os vídeos da recepcionista estivessem sendo projetados na GloboNews, numa assustadora mostra da espetacularização de tudo, do choro à gargalhada, que dá o tom da política nesses tempos. Na mesa de operação, a luta entre a vida e a morte. Nas redes sociais, as apostas sobre a vida e a morte: "Morreu!", "Não morreu!", "Foi armado!", "Foi o PT!". A sensação era de que uma página importante da história do país estava sendo escrita ali.

Ele foi submetido a uma laparotomia exploratória, que é quando os médicos abrem a região abdominal e conferem os órgãos para evitar uma infecção generalizada. Na sala de operação, além do corpo médico, estavam Bebianno e Carlos Bolsonaro. Este, completamente transtornado, aos prantos — para o cúmulo da ironia —, abraçou fortemente Bebianno, que disse: "Agora reza, Carlos, reza muito. Seu pai vai escapar dessa!"

Eu tinha acabado de chegar da PUC quando as primeiras notícias pipocaram na internet. O jornalista Lauro Jardim ligou para meu pai avisando que algo de grave acabara de acontecer com Bolsonaro. Imediatamente, trocamos de canal para a GloboNews. Quis o destino que Michelle Bolsonaro estivesse no estúdio de gravação (antigo escritório do meu pai) acompanhada de uma amiga. Fui o portador da má notícia. Coube a mim informá-la e a minha mãe confortá-la.

Ela ouviu, se afastou e começou a fazer ligações para qualquer um da família que pudesse ter uma informação mais precisa. Estava aflita, apreensiva, mas não chorava. Em seguida, numa cena que beirava o surrealismo, Michelle pegou nas minhas mãos, fechou os olhos e pediu que eu imitasse seu marido. Constrangido, imitando a língua presa de Bolsonaro, falei: "Vai ficar tudo bem, Mi! Agora é confiar em Deus." Ela respirou um pouco mais aliviada e, por inusitado que tenha sido aquele momento, foi uma experiência forte para ambos.

As imagens de Bolsonaro na maca começaram a ser expostas ininterruptamente. Michelle já não suportava ver aquilo. Meu pai então sugeriu que fôssemos a Juiz de Fora. Era quinta-feira, véspera do feriado de 7 de setembro, quando o Brasil comemoraria 196 anos da sua independência. O que era para ser um trajeto de 2h30 durou 4h30 por causa do trânsito carregado. No caminho, paramos no condomínio Vivendas da Barra, para que Michelle se trocasse e pegasse uma muda de roupa. Encontramos Leo Índio, primo dos filhos de Bolsonaro e particularmente muito próximo de Carlos, que nos seguiu em comboio.

Durante a viagem, Michelle contou sua história e de quando conheceu Bolsonaro. Mais velha de cinco irmãos, os pais viviam em Ceilândia Norte, perto da favela Sol Nascente, desde 2013 uma das maiores da América Latina. Fez pequenos trabalhos como modelo, mas se afastou aconselhada por uma missionária da igreja evangélica que frequentava. Trabalhou como demonstradora de alimentos e, depois, de vinhos. Em 2004, conseguiu emprego de secretária parlamentar na Câmara. O encontro com o então deputado Jair Bolsonaro se deu em 2006. Ela nos contou que, certa vez, ele a abordou à saída do banheiro feminino e disse: "Saiba que um dia, não muito distante, você será minha esposa." A maldiç..., quer dizer, a promessa se confirmaria. Dos avanços amorosos do pretendente, ela se lembrou com bastante clareza de que se beijaram pela primeira vez num carro: "Foi um beijo péssimo. Ele não sabia beijar." Casaram-se tempos depois.

O fim do seu relato coincidiu com um telefonema que nos intrigou: havíamos parado para comer alguma coisa na tradicional delicatéssen alemã Pavelka, em Petrópolis, quando Marina Silva ligou, querendo saber notícias sobre o estado de saúde de seu maior adversário. Desejou melhoras. Achei um gesto civilizado e bonito da parte dela. Ninguém menos próximo de seus valores e ideias que Bolsonaro.

Já perto de Juiz de Fora, meu pai foi contatado por seu médico pessoal e amigo de longa data, o cardiologista Roberto Kalil, do Hospital Sírio-Libanês. Kalil é conhecido por ser o "médico dos presidentes". Atendeu pessoalmente Lula, Dilma, Temer, Collor e Sarney. Inteirado da situação — e, muito importante, autorizado por Michelle —, Kalil mobilizou um jatinho com sua equipe, capitaneada pela dra. Ludhmila Hajjar, com uma UTI móvel para o hospital onde estava Bolsonaro. Chegaram a Juiz de Fora e ficaram monitorando a situação, de sobreaviso para a necessidade de transferi-lo para São Paulo. Acontece que Carlos e Eduardo, razoáveis como uma porta, alegando que Kalil e sua equipe eram "árabes comunistas" que matariam o pai deles, frustraram todo o plano que meu pai arquitetou junto a Kalil. A dra. Hajjar e sua equipe foram passear à toa em Minas.

Chegamos pouco antes da meia-noite. Uma viatura da PM nos esperava na entrada da cidade para fazer a escolta até o hospital. Lá, jornalistas faziam barricada. Atravessamos o cerco de repórteres, que, famintos por espetáculo mais do que por informações, nos devoravam com as câmeras. Antes de subirmos, encontramos um desolado (como as coisas mudaram...) Alexandre Frota,* que tinha acabado de ser domado por Bebianno após uma tentativa tresloucada de ver Bolsonaro, brigando com enfermeiras e demais funcionários. Por muito pouco não foi preso pelo coronel que lá estava. Enfim subimos.

Encontramos todos incrédulos e nervosos. Seguranças, aliados e amigos rezando. Cumprimentei Eduardo e Flávio, que agradeceram por termos levado Michelle. Carlos Bolsonaro não arredava pé à porta do quarto onde estava seu pai, abrindo a cortina para quem quisesse ver Bolsonaro na UTI. De longe, vi Michelle entrando na ala onde se encontrava o (agora) presidente. Tudo estava escuro e pesado. Até que, depois de resistir por horas, ela desatou a chorar. Contou a Bolsonaro que nós a trouxemos. Bolsonaro chamou meu pai, que foi cumprimentado por Carlos. Parecia demonstrar alguma genuína gratidão. Embora a relação de Carlos com a madrasta nunca tenha sido das melhores, ele sabia quanto o pai precisava dela.

Fiquei à parte, refletindo sobre como tudo pode virar do avesso tão de repente, até que Carlos me viu a distância e fez um aceno. Apontou para o álcool em gel (ora, ora...) antes que eu entrasse. Passei nas mãos e me deparei com Bolsonaro. Ele tinha os lábios ressecados, o aspecto quase cadavérico. Viu a morte muito de perto. Aí sussurrou: "Ô garoto, se você continuar me imitando, vou começar a

---

* O polêmico e folclórico Alexandre Frota fez parte da tropa de choque de Bolsonaro durante a corrida eleitoral de 2018. Após eleito deputado federal por São Paulo, rompeu com ele no ano seguinte.

cobrar direitos autorais, tá ok?" No dia seguinte, 7 de setembro, pela manhã, com o quadro estabilizado, ele seria transferido para o Hospital Albert Einstein, em São Paulo.

Foi no hospital israelita que ouvi a mórbida declaração: "Agora é só não fazer mais nada, que a gente não perde mais." Não perderiam. Com o atentado, Bolsonaro ganhou o tempo de TV que não tinha. De oito segundos para 24 horas. Mais de trinta câmeras ficaram íntimas de sua bolsa de colostomia. A perplexidade era tamanha que até alguma empatia lhe sobrou de seus adversários. Cresceu quatro pontos percentuais e alcançou seu melhor desempenho na sondagem BTG Pactual/FSB, divulgada quatro dias após a facada, no primeiro levantamento após o incidente, liderando a corrida com 30% das intenções de voto. Ciro em segundo, com 12%. Haddad já era testado em algumas pesquisas e confirmaria a entrada em campo no dia 11 de setembro, saltando de 4% para 18% durante o mesmo período, sinalizando que teríamos o PT disputando o segundo turno mais uma vez, como foi o caso em todos os pleitos presidenciais desde 1989 — nos anos em que houve segundo turno.

Carlos Bolsonaro controlou à risca o entra e sai no andar em que seu pai estava. Populares rezavam cultos, aliados subiam para os breves momentos de visitação. Carlos se reunia com membros da PF para alinhar a investigação sobre Adélio Bispo. Ele e os irmãos pediam aos médicos que emitissem boletins excessivamente otimistas para o público, e os médicos, constrangidos, obedeciam. Michelle foi cogitada para ser a porta-voz junto à imprensa, mas Carlos vetou. Na primeira imagem divulgada, Bolsonaro fazia arminha, o que deixou Bebianno particularmente incomodado. Ele buscava ampliar o apelo de Bolsonaro, e aquela seria uma péssima sinalização para o eleitorado mais centrista que porventura considerasse votar nele. Bebianno estava certo.

Logo, parte da imprensa começou a subestimar a lesão e, a partir dos boletins distorcidos, a afirmar que estava tudo sob controle e havia sido apenas um arranhãozinho. Era importante dizer a verdade, que Bolsonaro estava de fato abatido e sofrendo, mas preferiram a alternativa. O número de repórteres instalados à porta do hospital foi diminuindo com o passar dos dias. Marco Antônio Villa, historiador e cientista político — perspicaz como sempre — sugeriu que a família estava escamoteando a verdadeira extensão do dano a Bolsonaro. Disse (não sei se torceu) que ele seria o novo Tancredo Neves.

APÓS 23 DIAS INTERNADO, Bolsonaro teve alta do Albert Einstein.*

E quase veio a óbito pouco depois, ao tomar conhecimento das atrapalhadas declarações proferidas pelo seu vice, Hamilton Mourão, dois

---

* Não sou o Nelson Rubens, mas tenho um fraco por anedotas. Principalmente as que revelam caráter. Num daqueles dias, Michelle disse a meu pai que Bolsonaro estava sentindo muito frio durante a internação no Einstein. Meu pai, que de mesquinho não tem nada, foi ao shopping Iguatemi e comprou três blazers da Ralph Lauren (azul-marinho, preto, cáqui) e os entregou para Michelle num dia em que fomos comer feijoada no restaurante Bolinha. Quando foi ao hospital, ela percebeu que estavam pequenos para Bolsonaro. Meu pai trocou os blazers e os entregou diretamente a ele, já de volta à campanha. Presente é presente. Certo dia, de volta à nossa casa, na sala de TV, eu e meu pai nos reunimos com um Bolsonaro ainda muito debilitado, carregando uma bolsa de colostomia. Retirou o casaco preto da Adidas, curiosamente idêntico ao de Fidel Castro, e precisou da ajuda do meu pai para vestir também o pesado colete à prova de balas, peça de vestuário que se tornou ainda mais imprescindível após a facada. Bolsonaro seguiu meu pai com os olhos, esboçou o sorriso típico de quem está prestes a encher a bolsa de colostomia e disparou: "Pro cara me dar três casacos de grife é porque deve tá querendo me comer! Hahahahahahaha." Após nosso afastamento, foi bem engraçado ver Bolsonaro perambulando mundo afora, de Pequim com Xi Jinping a Moscou com Vladimir Putin, usando o casaco que seu atual desafeto Paulo Marinho lhe deu. O poder mudou Bolsonaro, que nunca mais apareceu em público com o puído casaco à moda de Fidel.

dias antes. Num evento em Uruguaiana (RS), Mourão disse que o décimo terceiro salário era uma jabuticaba. Gambiarra nossa, que o resto do mundo ignora e ninguém adota. "Aquela visão dita social, mas com o chapéu dos outros, não do governo", completou. A fala não pegou bem.

Na segunda-feira, dia 1º de outubro, Bolsonaro foi à nossa casa pela primeira vez após a internação. Contrariando todas as recomendações médicas, explodiu de raiva e gritou: "Liga agora para esse filho da puta do Mourão!" Eu não queria ser o filho da puta do Mourão naquele momento. O que o convalescente berrou ao telefone é impublicável até num livro engraçadinho como este.

Aí houve um desdobramento inesperado. Os ânimos se acalmaram e, à noite, meu pai ligou para Bebianno com a seguinte ideia: "Gustavo, andei pensando aqui depois de hoje. O que você acha da ideia, para neutralizar os efeitos ruins dessa canelada do Mourão, de propor a criação de um décimo terceiro do Bolsa Família?!" Bebianno gostou do que ouviu.

No dia seguinte, sentados à mesa para almoçar, estavam meu pai, Bolsonaro, Tercio Arnaud, Bebianno e Julian. Bebianno virou para Bolsonaro e apresentou a ideia, instantaneamente descartada: "Nós vamos ter que conceder esse benefício para todo o sistema previdenciário, isto é uma ideia de merda." Aí Bebianno, com aquela cara satisfeita de "eu avisei", emendou: "Não te falei que a ideia era ruim, Paulo?!" Não convencido, ligou para o Paulo Guedes e pediu a ele que calculasse o impacto orçamentário de um possível décimo terceiro do Bolsa Família. Guedes pediu cinco minutos, fez as contas e garantiu a viabilidade dos recursos. "Excelente ideia! Toca o pau!"

Já na casa de Bolsonaro, Bebianno informou ao Capitão a notícia de que Guedes tinha feito as contas e dera sinal verde para a "sua" ideia.

Então Bolsonaro, convencido, bateu na mesa: "Vamos resolver agora essa porra! Liga pro Mourão!" O general atendeu e Bolsonaro disse: "Ô Mourão! Tô te ligando para te PARABENIZAR pela ideia que VOCÊ teve, que é o décimo terceiro do Bolsa Família. VOCÊ vai anunciar essa ideia porque ela É SUA IDEIA, tá ok? Quero hoje ainda na imprensa. Valeu-valeu-valeu." E bateu o telefone.

Mourão ficou emburrado e empacou. Demorou ainda uns dias para absorver a reprimenda do ex-militar de baixa patente. Enfim, no dia 10 de outubro, foi lançado o décimo terceiro do Bolsa Família. Era a ideia ruim do Paulo Marinho, que virou a ideia ruim do Gustavo Bebianno, que, com o aval de Paulo Guedes, virou a ideia boa do Bebianno, que acabou virando, a contragosto, goela abaixo, a ideia brilhante do General Hamilton Mourão.

Planejamento é isso.

À MEDIDA QUE O DIA 7 de outubro se aproximava, mais gente abandonava o naufrágio eleitoral representado por Alckmin, Henrique Meirelles, João Amoêdo e Álvaro Dias e se agarrava ao bote de Bolsonaro, que se provou resiliente e conseguiu aglutinar apoio após a comoção da facada. Nada lhe tirava da cabeça a ideia de que venceria já no primeiro turno. Bebianno, medroso, preferia fazer contas modestas e se preparar para o pior cenário. Bolsonaro, certo de que venceria de primeira, proibiu que se buscasse uma equipe de produção audiovisual para projetar uma possível campanha de segundo turno. Bebianno, prudente como de costume, em silêncio preparava a disputa final.

Em um dos últimos dias de (erros de) gravações do programa eleitoral, o sol se recolhia no Jardim Botânico quando Bebianno, Paulo Marinho e Bolsonaro se acomodaram nas poltronas situadas na varanda do anexo. Tomavam um cafezinho, beliscavam um biscoito amanteigado (mais uma iguaria com a qual Bolsonaro se esbaldou ao longo da campanha) e começavam a antecipar os primeiros movimentos do futuro governo. Bebianno, sempre idealista (e um pouco ingênuo), argumentava em tom exultante, convencido da grandiosidade da missão. Falava como um profeta bíblico. Prometia honrar o slogan da campanha e "mudar o Brasil de verdade". Bolsonaro, notando que o seu projeto acidental estava cada vez mais próximo de se tornar um acidente com vítimas fatais, já adotava um tom de alinhamento de expectativas. Como se pensasse alto, disparou que "chegando lá, se não fizermos tudo certo, nós vamos sair presos". O vaticínio esfriou o café dos três. Foi o primeiro indício que Bebianno e meu pai tiveram de que poderia haver caroço no angu de Bolsonaro, que, pouco tempo depois de eleito, teria seu longo rabo-preso exposto ao país por Flávio e suas maracutaias. Convenhamos: não fez nada certo. Logo...

Hoje, Bolsonaro brada que só sai da presidência "preso, morto ou com a vitória", e declara que "jamais será preso". Há de se lembrar que, em 1986, quando já servia como capitão no 8º Grupo de Artilharia de Campanha Paraquedista, Bolsonaro ficou quinze dias preso por indisciplina após escrever, na seção "Ponto de Vista" da revista *Veja* de 3 de setembro de 1986, um artigo intitulado "O salário está baixo". A pergunta que fica, após os crimes que hoje comete, é se ele será preso de novo ou não. Pelo menos em alguma coisa ele tem comprovada experiência.

NO DIA DA APURAÇÃO, chegamos bem cedo ao hotel Windsor, na avenida Lúcio Costa, praia da Barra, para checar os preparativos do evento em que Bolsonaro, se vencesse, discursaria. Marcos Carvalho havia instalado um imponente palco, com a foto de um Bolsonaro sorridente, um sorriso oficial, olhando para o horizonte, legendado pela frase da camiseta que ele vestia quando recebeu a facada: "MEU PARTIDO É O BRASIL". De lá, atravessamos a multidão concentrada nos arredores do Vivendas da Barra. Foi a primeira vez que fui reconhecido por pessoas na rua, que elogiavam os vídeos do meu recém-inaugurado canal no YouTube.

Na casa de Carlos Bolsonaro, reinava a tranquilidade. Todos estavam confiantes. O 02 não desgrudava do notebook, acompanhando as parciais em tempo real, e mal nos cumprimentou. Esquisitíssimo, usando uma camisa camuflada, andando para lá e para cá com uma machete (sim, uma facona daquelas) na mão, carabinas na parede, um chapéu de pato na avantajada cabeça.

Sentado com as pernas esticadas, coberto por uma manta, Bolsonaro trocava freneticamente de canal, entre a Record e a GloboNews, obcecado com as estimativas. (Segredinho? Deu preferência à GloboNews, que tinha melhores infográficos.) À direita dele, Mourão, Nabhan Garcia, então presidente da União Democrática Ruralista (UDR), Paulo Guedes, Paulo Marinho, Gustavo Bebianno e eu.

Por um bom tempo, Bolsonaro se manteve firme nos 49% de votos válidos, mas assim que a contagem no Nordeste começou a acelerar, a bigorna da realidade caiu sobre seu otimismo e o esmagou. Deixou pelo caminho pontos importantes, e a sonhada travessia no primeiro turno encontrou o muro do segundo. A expressão dele mudou. Em determinado momento, Mourão se inclinou para a frente e ficou olhando para a tela, apoiado nos cotovelos. Bolsonaro aproveitou a brecha e, pelas costas do vice, mostrou a Bebianno que já tinha elegido o culpado pelo "fracasso". Ignorou as centenas de eleitores que o esperavam e, mais uma vez, mostrou a Marcos Carvalho, responsável pela estrutura, a essência da sua filosofia de vida: quem ganha é ele, quem perde são os outros.

Bolsonaro terminou com 46,03% dos votos válidos e Fernando Haddad, que perdera tempo de mais indo à sede da PF nas visitas a Lula em Curitiba, obteve 29,28%. Os outros adversários foram massacrados. Bolsonaro conquistou 7,4 milhões de votos no Nordeste, vencendo em capitais tidas como reduto histórico do PT, como Maceió, João Pessoa, Recife, Natal e Aracaju. O que para ele significou uma derrota foi, na verdade, uma vitória estrondosa.

UM DOS EPISÓDIOS mais desconfortáveis da campanha foi o encontro, quase encontro ou desencontro entre João Doria e Jair Bolsonaro. No dia 11 de outubro, na efervescência do segundo turno, meu pai e Bebianno tinham marcado um encontro entre Doria e Bolsonaro no QG que poderia ter sido do paulista. Bolsonaro deu sinal verde. Seria por volta das cinco da tarde do dia seguinte.

Mas alguém da assessoria de Doria vazou a informação de madrugada. Bolsonaro não tinha comentado com ninguém além de Julian e Bebianno. Carlos Bolsonaro tomou conhecimento do encontro por causa desse vazamento e começou a infernizar Bolsonaro, dizendo que isso seria uma espécie de traição. Ao meio-dia de sexta, Bolsonaro convocou Bebianno para uma conversa. O clima esquentava. Eu imaginei o que estava para acontecer.

Doria presumiu que o encontro estaria de pé. Desesperado, cortejando o apoio de Bolsonaro, veio ao Rio em seu jatinho, acompanhado dos já eleitos Joice Hasselmann (deputada federal) e Frederico D'Avila (deputado estadual). Nesse ínterim, meu pai, Bebianno e Julian foram à Barra reencontrar Bolsonaro e levá-lo para o encontro.

Chegando lá, Carlos, liliputiana figura, fez de tudo para que o pai desistisse, garantindo que aquilo era uma emboscada, uma cilada, que ele não deveria se meter com a eleição de São Paulo, que Doria era "um oportunista". Do nada, Bolsonaro pega o celular e diz que "é melhor vocês irem agora para a casa do Paulo, porque acabei de receber a informação de que o Doria já está lá e que já tem imprensa na porta. Eu não vou e vocês têm que desarmar essa bomba".

Sobrou pra mim entender o que estava acontecendo quando Doria bateu na porta. Ninguém tinha certeza de que ele viria, mas veio. Fiz sala e percebi sua inquietação. Ele passou uma hora inteira, enquanto esperava, analisando cada detalhe do estofamento, das obras de arte, dos objetos de decoração. Só lhe faltava uma lupa. Um jeito muito próprio dele, como se o foco na materialidade dos objetos à sua volta lhe trouxesse alguma paz de espírito.

A pedido de Bebianno, Paulo Guedes veio ajudar como podia: falando, falando, falando. Distraiu Doria quanto pôde, até que os três mosqueteiros chegassem em casa. A confusão se deu porque meu pai, durante a reunião com Bolsonaro, desligou o celular. Nisso, Doria avisava que estava decolando de São Paulo, reforçando a importância da reunião com o candidato à Presidência da República. Mas o homem preferia ver Adélio Bispo a ver Doria. Este, por sua vez, esperava, sem saber que já estava descartado. Guedes achou tempo de me puxar pelo braço e disparar: "Garoto, que privilégio fazer parte da eleição mais importante da história da República dentro da própria casa, hein! Você tem noção disso?!" Agradeci, concordei, mas o momento não era de comemorações.

Instalada diante da casa, a imprensa farejava sangue. Bebianno e Julian fingiram demência por tempo suficiente, até que Paulo Guedes se prontificou a apaziguar os ânimos. Declarou um protocolar elogio à candidatura liberal de Doria, que sabe como poucos otimizar os recursos do seu egocentrismo. Deu-se por satisfeito.

No dia seguinte, ânimos apaziguados, Bolsonaro veio a nossa casa para reuniões e gravações. Chegou antes de Bebianno. Com um engraçado jeitão paternal, chamou meu pai e ponderou que o episódio tinha sido muito ruim, mas estava superado. Contou, ainda, que acabara de dar uma declaração para a imprensa minimizando o incidente e reafirmando simpatia pelo antipetismo de Doria. "Você precisa me ajudar com o Bebianno. Ele está prestes a se tornar ministro da Justiça, mas precisa alongar o pavio." Mal acabara de dizer isso, o "futuro" ministro bateu na porta e entrou.

Os dois foram deixados a sós para conversar. Bolsonaro revelou sua intenção de nomear o amigo para a pasta da Justiça, mas que este precisava maneirar nas reações e controlar seu instinto se quisesse mesmo navegar com segurança nas águas turbulentas de Brasília: "Você não pode pisar no calo de um deputado, de um senador, porque isso pode abrir uma crise com um final imprevisível pro governo." Bebianno agradeceu, mas não garantiu estar pronto para assumir aquela posição, nem se de fato queria isso, se era a melhor maneira de contribuir com o país e um futuro governo. Com a franqueza que lhe era peculiar, desabafou: "Capitão, eu não quero nada, eu nunca lhe pedi nada, mas tem uma coisa que eu quero lhe pedir, lhe dizer, é que *eu não estou preparado para ser deixado pelo caminho*. Eu gosto de servir, mas *não estou disposto a ser usado*. E, de vez em quando, paira uma dúvida, uma impressão meio vaga, se eu tô sendo usado ou não. Porque eu tô me doando faz dois anos." Bolsonaro deu sua "palavra de honra" e prometeu que isso não aconteceria. Num dos raros momentos de empatia e sinceridade, olhou bem para o Bebianno e admitiu: "Se não fosse por esse cara aí, jamais teria chegado aonde cheguei."

Bebianno agradeceu e acreditou. Hoje sabemos que a palavra de Bolsonaro a Bebianno não valeria nada. Ele foi abandonado no caminho. Ele foi usado. Ele foi lançado ao mar como bagagem inútil. E nunca se recuperaria dessa traição.

A INFLUÊNCIA DE Paulo Guedes sobre Jair Bolsonaro começou tímida, mas cresceu ao longo da campanha. Qualquer ideia econômica ou tributária, qualquer solução institucional ou prática passava pelo crivo (nem sempre muito criterioso...) de Paulo Guedes. Bolsonaro admitia, inclusive publicamente, não manjar nada de assuntos mais técnicos. Na dúvida, Posto Ipiranga. Só que o economista de Chicago também tinha suas dúvidas. Hoje, com o governo quase no fim, vemos que tinha mais dúvidas que certezas. Ele aprendeu (aprendeu?) a duras penas que governar é diferente de palestrar. O problema é que existe um país inteiro no meio disso.

Certo dia, durante as gravações para a campanha do segundo turno, Guedes chegou tarde para o almoço. Todos saíram da mesa, mas resolvi lhe fazer companhia. Na época, minha estima por ele era confessa. Ele representava o melhor do liberalismo brasileiro, capaz de arquitetar o projeto de retomada do país. Eu o tratava com respeito, quase reverência. Fazia perguntas sobre a economia global. Naquele ano, só se falava da bomba-relógio previdenciária prestes a explodir. Ele me garantiu que sua prioridade zero seria aterrar o buraco fiscal que ameaçava nos engolir. Manifestava uma preocupação imensa — que se mostraria justificada — com sua (in)capacidade de negociação junto ao Congresso, para a aprovação da inescapável reforma da Previdência. Queria fazê-lo assim que assumisse o cargo. O papo de cinco minutos virou aula de uma hora sobre os mais diversos assuntos: do Plano Marshall ao ordoliberalismo alemão da Escola de Friburgo, capitaneado pelo ministro da Economia à época, Ludwig Erhard, no gabinete do chanceler Konrad Adenauer, no pós-guerra; dos Estados Unidos à Europa; do déficit fiscal à receita do crescimento — nada escapava ao então entusiasmado economista, que acreditava na oportunidade que lhe batera na porta.

O tom amistoso só começou a mudar quando os economistas do Plano Real, Pérsio Arida, Edmar Bacha, André Lara Resende e Pedro Malan foram mencionados. Guedes não conseguia esconder o ressentimento em relação a eles. A recíproca é verdadeira. As pesadas críticas que Pérsio Arida, antes das eleições, fazia a Bolsonaro, ele as fez também a Paulo Guedes. Sem meias palavras, ironizou sua importância na academia e, mais ainda, sua capacidade de conduzir a política econômica de um governo. Para Arida, ao se associar a Bolsonaro, Guedes emprestava ao Capitão uma credibilidade que não tinha. Assumiu-se como fiador de uma massa falida.*

Tal ressentimento, que contamina sua retórica e perturba seu julgamento, foi levado para o governo em suas relações com o Congresso e a imprensa. Na noite da eleição, logo após o discurso da vitória, eu, meu pai e ele saímos juntos do Vivendas da Barra. Fomos andando até o hotel Windsor, ao lado do condomínio. Enquanto Guedes pedia um Uber para voltar ao seu apartamento no Leblon, foi cercado por repórteres no lobby do hotel. Praticou o sincericídio que é do seu feitio: quando a correspondente do jornal argentino *Clarín*, Eleonora Gosman, perguntou se o Mercosul seria "desmontado", ele respondeu: "Sua pergunta está malfeita. A pergunta é: Vamos comercializar somente com a Argentina? Não. Somente com Venezuela, Bolívia e Argentina? Não. Vamos negociar com o mundo." Exageradamente irritado, o então futuro ministro disparou após outra pergunta sobre seus planos para o mercado comum latino-americano: "O Mercosul não é prioridade. Não, não é prioridade. Tá certo? É isso que você quer ouvir? Queria ouvir isso? Você tá vendo que tenho um estilo

---

* A propósito, sugiro ao leitor que procure um longo perfil na revista *piauí*, n. 144, de setembro de 2018, intitulado "O fiador". Retrato complexo do personagem.

que combina com o do presidente, né? Porque a gente fala a verdade, a gente não tá preocupado em te agradar", acrescentou.

Meu pai, percebendo que Guedes estava ligeiramente descontrolado, puxou-o pelo braço e disse "Vamos logo, que o Uber chegou!". Paulo Marinho salvou o governo de sua primeira crise institucional antes mesmo que existisse governo. Já no carro, rumo à Zona Sul, meu pai ponderou que Guedes deveria priorizar (leia-se: contratar urgentemente, antes da próxima bobagem) uma assessoria de imprensa à altura do cargo que estava prestes a ocupar. Guedes concordou. Tudo bem? Não exatamente. Quando achávamos que ele tinha entendido a moral da história, veio um comentário que até hoje lembramos como uma das sugestões mais estapafúrdias, sem a mais vaga conexão com a realidade, que já ouvimos na vida. Guedes pensou um pouco sobre o incidente com os jornalistas, refletiu em silêncio por alguns minutos e mandou: "Eu tenho o nome ideal pra essa função e já vou falar com ela. O que que você acha, Paulo, da Míriam Leitão?"

Mas não quero me adiantar.

A CORRIDA MALUCA se aproximava do fim. Bolsonaro era favorito na boca do povo, mas a vitória não era uma barbada. Gustavo Bebianno era o mais desconfiado. Num dia, tinha certeza de que Bolsonaro seria eleito. Noutros, a derrota lhe parecia certa.

Que Bolsonaro fosse um fato "novo" (com 27 anos de experiência na Câmara...); que a campanha tivesse sido orquestrada nas mídias sociais; que os partidos e nomes tradicionais tivessem se perdido na selva de memes das redes — toda essa novidade, tudo o que tornava possível um grande resultado, também podia levar ao fracasso. Ninguém realmente sabia o que estava para acontecer.

Outro aspecto importante e, a meu ver, diferente, foi que aquelas eleições não se resumiram às enfadonhas ladainhas sobre emprego, saúde, educação. Notem: esses são problemas urgentes, profundos. Não quero dizer que importam pouco. Mas sempre foram tratados com a preguiça das disputas tradicionais. De repente, além dessas questões, outras estavam em pauta: aborto, moral, religião, liberdade, ditadura. Os "costumes" ou "valores" foram postos na mesa, como é feito nas eleições americanas. Cada candidato — ou "lado" político — representava escolhas éticas que vão além da economia e da gestão.

Um exemplo dessa atmosfera foi captado pela equipe de comunicação coordenada por Marcos Carvalho, numa das peças publicitárias mais fortes da campanha. Inspirada naquele momento em que Bolsonaro, durante uma entrevista à GloboNews, mostrou que nas "anotações" feitas em sua mão estava escrito "Deus, Família e Brasil", a equipe saiu às ruas do Rio para gravar simpatizantes empunhando uma Bic e escrevendo na palma das mãos mensagens que contivessem os valores principais da campanha. Coisa de gênio. O vídeo foi um sucesso. Bom, bonito e barato. Bebianno me contou que Claudio Dantas, de *O Antagonista*, ligou para ele e perguntou: "Quem foi que fez isso? Está espetacular, digno de campanha profissional!"

A partir dali, Marcos Carvalho seria reconhecido como o artífice da campanha, inflamando Carlos Bolsonaro de ciúmes — por sua vez, ele vinha a público atacar e negar que a campanha tivesse marqueteiro. "O povo brasileiro é o verdadeiro marqueteiro." Carluxo tentava manipular seus apoiadores para esconder, simplesmente fingir, que nada estava sendo feito dentro da nossa casa. Uma tentativa de apagamento da história para fazer sua versão dos fatos prevalecer junto ao público. É sabido por todos que era ele quem tinha as senhas e controlava as redes do pai. Com isso, ignorava deliberadamente os programas produzidos pela equipe de Marcos Carvalho em nossa casa, veiculados no horário oficial de rádio e TV. Quase nada do que foi feito em nossa casa era compartilhado nas redes oficiais de Bolsonaro, por birra e ciúmes do filho dele. Tudo ficava nas redes oficiais de aliados, que replicavam o material, e nas redes oficiais do PSL, que, em números, rapidamente superaram as do PT após a curadoria de Marcos Carvalho. Ele e sua equipe antecipavam cada vírgula escrita. Sabiam que um ponto final mal colocado podia se transformar numa tremenda exclamação. A responsabilidade era imensa e ele mostrou seu valor.

ASSIM QUE A DISPUTA para o segundo turno começou, houve grande expectativa (e razoável apreensão...) sobre como Bolsonaro se sairia com os trinta e cinco minutos por dia na TV. Quando assistiu ao seu primeiro programa, ele ficou emocionado e chorou muito, especialmente na segunda parte, que apresentava sua biografia e história familiar. A primeira parte foi muito efetiva em antagonizar o PT, tingindo de cores escuras o que seria o futuro com a recondução do partido ao poder, o que representaria a venezuelização definitiva do Brasil. Referências a Lula em Curitiba e ao PT no Foro de São Paulo foram exibidas.

Não tínhamos acesso às pesquisas internas e nos baseávamos apenas no monitoramento das redes para definir a melhor estratégia no embate com o PT. Marcos e sua equipe deixavam dois programas prontos, a depender de qual tom o adversário imprimisse. Eles tinham de enviar para o TSE até as sete da manhã o programa completo a ser veiculado naquele dia.

O PT partiu para o ataque. O Brasil de Bolsonaro seria o Brasil da barbárie, o país do bangue-bangue, o inferno das minorias. Apavorados, apoiadores ligaram para Bebianno e pediram resposta à altura.

Bebianno entendeu o recado e reuniu os quarenta funcionários de Marcos Carvalho para dizer que a ordem era descer o cacete. Desse jeito mesmo. Recomeçaram do zero às nove e meia da noite e ficaram até as quatro da manhã produzindo um novo programa "daquele jeito". Marcos, mais cerebral que Bebianno, fazia o controle de danos. Numa peça, era exibida uma imagem do Maracanã lotado. A locução dizia que aquele era o número de pessoas que morreram por ano, em virtude da violência, nos governos coniventes ou relapsos do PT. Funcionou.

Meia hora antes das primeiras parciais, surpreendi Bolsonaro sentado em uma banqueta, lendo o discurso de vitória, meio torto, introspectivo, com o papel repousado no colo. Pedi licença. Ele me olhou quase sem ver e vestiu o blazer cinza-escuro com seu pino de deputado federal preso à lapela. Estranhei que mantivesse o símbolo do cargo que ocupara nas últimas décadas quando estava prestes a ascender ao cargo de mandatário da nação. Enquanto se aprumava, disse-lhe que Bebianno havia me escalado para a função de tradutor oficial das ligações diplomáticas dos dignitários. Ele registrou e anuiu. Em outra sala, Carlos não parava quieto, monitorando incessantemente tudo à sua volta. Consertou uma lâmpada que estava falhando logo em cima da mesa que Bolsonaro usaria em seu discurso de vitória. Foi ele o responsável por preparar o cenário, cuidadosa e deliberadamente posicionando a Constituição Federal, a Bíblia, *Memórias da Segunda Guerra Mundial*, de Winston Churchill, e *O mínimo que você precisa saber para não ser um idiota*, de Olavo de Carvalho. (Duvido que tenha lido qualquer um deles.) Acenos nem tão subliminares para os seus eleitores. Cheguei para ele e perguntei como se sentia. "Nada de mais, é isso aí."

Cheguei a subir no trio elétrico, estacionado em frente ao Vivendas da Barra, e fui chamado por Onyx para discursar — imitando o presidente — perante a massa ensandecida. Foram à loucura.

Bolsonaro venceria Haddad com 55,13% contra 44,87%. Se considerarmos que o petista estava mais preocupado em conquistar a aprovação de Lula que a do eleitor, a diferença foi menor do que a esperada. Mas, apesar de o PT ter acertado o tom, era tarde demais. Dias depois, Bebianno me confessaria que nem imaginava qual seria o desfecho se a campanha se estendesse por mais duas semanas. O PT calibrava seus ataques a cada programa, como se finalmente tivesse entendido o jogo, o que acarretava um crescimento gradativo nas suas intenções de voto. Nas ruas, o movimento #elenão ganhava volume e costurava uma narrativa coerente. Já do nosso lado, Bebianno e Marcos admitiram que estava cada vez mais difícil reciclar a mensagem, que tinha pouca coisa a transmitir além do patriotismo de caserna e da civilidade de quartel. O risco de uma reviravolta no finzinho foi real, mas não aconteceu.

MEU ÚLTIMO ENCONTRO com o presidente ocorreu dois dias após a vitória.

No dia 30 de outubro de 2018, ele veio à nossa casa, notavelmente abatido e acompanhado de seu enfermeiro, que não saía de perto. Onyx, prestes a se tornar o principal responsável pela articulação política do novo governo, trouxe o organograma preliminar que havia desenhado, mirando quinze ministérios — uma promessa de campanha que, como veríamos, se desfez como todas as outras.

Sentados à mesa do que voltara a ser o escritório do meu pai e não mais o estúdio de gravação, Bolsonaro, Flávio, Mourão, Guedes, Onyx, o General Braga (chefe de gabinete do Flávio Bolsonaro), Bebianno, Julian e Paulo Marinho. Fiquei sentado a uma mesa ao lado, "secretariando" a reunião. Guedes e Onyx travavam discussões acaloradas sobre a melhor forma de compor o governo. Bolsonaro pouco falou;

enquanto os dois batiam boca, cochilou. O enfermeiro, percebendo a situação, acordou-o e lhe deu os remédios de que precisava para se manter acordado.

No toma lá dá cá intramuros, Guedes, prestes a se tornar superministro da Economia, além das pastas da Fazenda, do Planejamento, da Previdência e do Trabalho, Indústria e Comércio, queria também o Ministério de Minas e Energia. Meu pai, que jamais pleiteou cargo algum e já estava eleito como suplente, preocupado com a gula, interveio essa única vez e disse: "Capitão, eu sei que pato novo não mergulha fundo, não quero meter o bedelho, mas Minas e Energia aí também já é demais. É muita coisa pra dar conta!" Bolsonaro concordou e Guedes ficou sem esse brinquedo.

Julian, que se elegera deputado federal pela Paraíba, chegou a ser escolhido como líder do governo na Câmara, e contou com o apoio entusiasta de Flávio. Já na transição, porém, Carlos e Eduardo sabotaram a indicação, e coube a Onyx informá-lo de que não iria para a frente o que fora pactuado na reunião.

Para comandar o Ministério das Relações Exteriores, o nome preferido de Onyx era Luís Fernando Serra, que conheceu o presidente eleito em fevereiro de 2018, quando atuava na embaixada da Coreia do Sul, durante a pré-campanha de Bolsonaro ao Planalto. Na ocasião, em visita ao país asiático, conversaram sobre nióbio e grafeno, fixação do então candidato, que diz ter sido "muito bem recebido" pelo diplomata.

A esse respeito, uma sugestão minha acabou por ser acatada. Li um bom artigo escrito pelo gaguejante Ernesto Araújo, "Trump e o Ocidente", enviado por Filipe Martins, que eu conhecera meses antes em discussões sobre a política americana e a vitória de Trump (que ele previu). Aproveitei para colocar o nome de Ernesto Araújo na mesa.

Bolsonaro e Onyx gostaram e ficaram de analisar. Essa minha participação continuou junto a Bebianno, que, sem conhecer Ernesto, confiou em mim. Filipe Martins seria o maior beneficiado dessa escolha, quando resolveu que uma aproximação com Carlos e Eduardo lhe traria vantagens. Depois, se tornaria assessor internacional do presidente. Araújo foi confirmado e Serra acabou na embaixada em Paris, polemizando contra o presidente Emmanuel Macron, ao longo de seu mandato. Minha influência nesse processo gerou um artigo escrito por Merval Pereira e uma ácida notinha em *O Antagonista*, intitulada "O imitador do chanceler".

A reunião chegou ao fim — e ali também chegava ao fim, ainda que não soubéssemos, nossa relação com os Bolsonaro. Mas o pior estava por vir.

LI *O PRÍNCIPE*, do filósofo e diplomata renascentista Nicolau Maquiavel, meses depois de tudo o que vivi. E foi como se o pensador italiano tivesse antecipado o que eu acabara de experimentar. De certa forma, antecipou mesmo, porque a natureza humana, especialmente a natureza do homem político, é sempre a mesma. Variam as circunstâncias, mudam-se os costumes, mas o poder, as paixões e as disputas nem sempre justas em seu entorno não são novidade. "Não existe nada de novo debaixo do sol", diz o Eclesiastes.

O mundo de astúcia, intriga e oportunismo retratado por Maquiavel foi o meu. "Acredito que terá sucesso aquele que dirigir suas ações de acordo com o espírito do tempo, e aquele cujas ações não estiverem de acordo com o tempo não terá sucesso", escreveu. Inegavelmente, Bolsonaro foi capaz de sentir o pulso do país com precisão.

Antes da Globonews, pregava em programas de TV como *Superpop* e CQC. Ninguém o levava mais a sério do que merecia. Ele era a encarnação de um meme, o resumo de um estado de espírito. Confissões estapafúrdias se misturavam a opiniões simplórias, tudo empacotado numa linguagem agressiva e popularesca, de programa policial das seis da tarde.

Bolsonaro se gabava de falar "verdades", ou o que presumia serem verdades, devidamente protegido pela imunidade parlamentar. Não posso afirmar que havia método na zoeira ou que havia lógica na loucura. O sucesso de Bolsonaro é fruto de suas limitações, e não de uma inteligência estratégica superior.

Quero dizer com isso que, de repente, o eleitor brasileiro, enojado, com bastante razão, do que se convencionou chamar de "política tradicional", viu nas deficiências do Capitão um atestado de sinceridade.

Conforme o petismo se esfacelava em meio aos escândalos de corrupção, à quebra da Petrobras e à erosão da economia, Bolsonaro, tocando os três acordes do primitivismo ético, começou a encantar multidões como um flautista de Hamelin.

Ele não ligava para as normas ou para a cultura institucional do Congresso. Ele não ligava para nada. Por isso, num país em que regras são entendidas como insultos, passou a ser visto como *outsider*. Na verdade, era um bagunceiro.

Um arruaceiro burocrático, porque *outsider* nunca foi. Ninguém mais *insider* que ele. Ora, fazia quase trinta anos que transitava nos bastidores de Brasília sem ser incomodado. Fazia quase trinta anos que o dinheiro público — legalmente, até onde sabemos — transitava no seu bolso.

É bom que se diga: Bolsonaro tem carreira política mais extensa e convencional do que muitos que ele acusa. Só que sempre foi uma carreira imperceptível a olho nu. Quando pudemos ver suas realizações sem ajuda do microscópio, já era tarde.

Visto de longe, com a frieza da retrospectiva, parecia óbvio. Mas não era. Havia muito em jogo, e aquilo estava se desenrolando dentro da nossa casa, entre os talheres da nossa intimidade. Nós interagíamos como seres humanos, sem câmeras, sem reservas, sem edição. Naquele momento, o que aparentemente o diferenciava era o que fazia dele uma pessoa comum. Sem máscaras, sem pose, sem *media training*. O que os adversários — na política e na imprensa — não captavam é que a questão não era propriamente Bolsonaro.

Sua vitória foi a culminação de um fenômeno eleitoral sem precedentes, que, lembremos, teve em seu curso até mesmo um atentado. E, dado o ineditismo, talvez tenha nos faltado malícia, desconfiança, até uma saudável dose de cinismo. Isso mudou. Bolsonaro nos deixou mais céticos e menos idealistas, até certo ponto. Ou nos ensinou que, quando um homem que tem sede de poder fala bobagens, promete bobagens, aprova bobagens, ele realizará bobagens. Ideias têm consequências.

O rompimento teve mais de um motivo e, ao mesmo tempo, não teve motivo nenhum. O encontro entre minha família e a família de Bolsonaro foi casual, episódico e, como se viu, bastante breve. Hoje, sinto que nos afastaríamos de um jeito ou de outro. Havia um contexto político que favorecia aproximações táticas como aquela, sem que houvesse comunhão plena de ideias — e, principalmente, de princípios. Tudo somado à mania persecutória do presidente e de seus filhos, conspiradores que veem conspiração em tudo, tinha mesmo que dar no que deu. É difícil ser leal a quem não fala o idioma da lealdade. Meu pai sentiu isso. Bebianno ainda mais.

Com o distanciamento, Bolsonaro ficou mais nítido para nós. Bastaram poucos dias — sim, dias! — para que ele mostrasse, de maneira flagrante, suas intenções. O tratamento dirigido a nós mudou perceptivelmente, sem que houvesse qualquer conflito de fato ou cobrança da nossa parte.

PARA NOSSA SORTE, não fomos convidados para a cerimônia de posse. Não recebemos convite oficial, como se nunca tivéssemos feito parte daquilo.

Nesse momento, havia um distanciamento, não propriamente uma ruptura. Mais coisas aconteceriam. Bebianno, bastante envergonhado, fez o convite para a posse, mas meu pai declinou: "Vamos ficar no pré-sal." Chega de holofotes, exposição, compromissos. Paulo Marinho repetiu uma frase que sempre costumava dizer: "Meu filho, lembre-se das palavras do [ex-vice-presidente] José Alencar. *Eu* não tenho medo da morte, tenho medo é da desonra." Por ironia, quis o destino escrever certo por linhas tortas: fomos salvos da sucessão de vexames em que esse arremedo de governo se transformou.

Uma situação que gerou desgaste entre nós e eles foi provocada (involuntariamente) por mim. Numa participação no *Teste do Sofá*, programa de entrevistas no YouTube com Kim Kataguiri e Arthur do Val, ambos do MBL — Movimento Brasil Livre —, declarei, em tom de brincadeira, que provavelmente teria "virado uns 50 mil votos".

O caso é o seguinte: durante a campanha, gravei imitações do presidente que, modéstia à parte, são quase indiscerníveis do original. Uma delas destinada a garimpeiros de Serra Pelada, sudeste do Pará, tradicional reduto petista. Aparentemente, eles não perceberam a diferença. Vários responderam como se eu fosse o mito. Pensando bem, fui.

Quem teve essa ideia foi também Filipe Martins. Conversamos amistosamente sobre a possibilidade de que as imitações pudessem fazer bem à campanha. Poderiam gerar engajamento. Eu pensava nisso como um alívio cômico; ele, ardiloso, pensava nos efeitos colaterais positivos que a confusão talvez gerasse. E gerou.

Isso explodiu na imprensa *mainstream* e na mídia alternativa de esquerda como prova de crime eleitoral ou, no mínimo, propagação de *fake news*, assunto candente àquela altura. Embora os mais renomados juristas consultados tenham concluído que não houve crime algum, o desconforto bateu no recém-eleito governo e se virou contra nós. Quando nosso engajamento já não interessava muito, é claro. Estávamos começando a perceber que os afetos de ontem seriam os desafetos de amanhã.

PARA O INÍCIO DO GOVERNO, Gustavo Bebianno colocara em sua agenda oficial uma reunião com Paulo Tonet Camargo, vice-presidente de Relações Institucionais do Grupo Globo, em Brasília. A intenção não podia ser mais óbvia: estabelecer um mínimo de cordialidade institucional entre a Presidência da República e a maior emissora de TV da América Latina. O pensamento de Bebianno era estratégico e de longo prazo.

Mas a falta de pensamento de Carlos Bolsonaro e Fábio Wajngarten, que logo se tornaria chefe da Secretaria Especial de Comunicação Social (Secom), era ideológica e de curtíssimo prazo. Para eles, a Globo era inimiga e continuaria sendo tratada como tal. Logo, viram na tentativa de apaziguamento de Bebianno uma espécie de conspiração. Vindo de quem vinha, não era nenhuma surpresa, mas mesmo assim um completo absurdo até para os padrões tão baixos do bolsonarismo. Carlos queria controlar a comunicação do governo. Bebianno já começava a ser visto como empecilho.

Intoxicado e paranoico, Bolsonaro estourou: "Cancela, não quero esse cara aí dentro, ponto final." Ignorava que, dias antes, os ministros do Gabinete de Segurança Institucional (GSI), General Augusto Heleno, e da Secretaria de Governo, General Santos Cruz, já haviam recebido o executivo no Planalto. Gustavo Bebianno obedeceu e não se reuniu com Tonet. Meses depois, após a exoneração de Bebianno, Bolsonaro se reuniria ele próprio com o executivo global. O pretexto que lhe servira para demitir o então amigo e braço direito foi só isso mesmo: um pretexto.

A crise estourou de vez quando a *Folha de S.Paulo* revelou, em fevereiro de 2019, um esquema regional de candidaturas laranja no PSL, para desviar verba pública eleitoral. Na época, o partido era presidido por Bebianno, que negou veementemente responsabilidade nas acusações. Afirmou que a decisão sobre as candidaturas nos estados cabia aos diretórios estaduais; à Executiva Nacional bastava formalizar o repasse da verba. Ele, Bebianno, estava ocupado demais com a campanha e nem sequer tinha conhecimento de arranjos estaduais. Nem interesse. O próprio Luciano Bivar, fundador do partido e líder do PSL pernambucano, depois de tentar negar, confirmaria a versão em entrevistas.

Para corroborar que não havia estremecimento algum, Bebianno disse à imprensa que conversara sobre o caso com o presidente Bolsonaro, que estava ciente dos desdobramentos. "Só hoje falei três vezes com o presidente." Carlos Bolsonaro, que sempre cuidou, formal ou informalmente, das redes sociais do pai, chamou Gustavo Bebianno de mentiroso. Sua publicação foi republicada pelo próprio presidente. A revista *Veja* teve acesso aos áudios das conversas "desmentidas" por Carlos e seu pai.* Pois tais áudios os desmentiam, e não a Bebianno,

---

* Você pode acessar os áudios no link: <www.poder360.com.br/governo/escute-os-audios-trocados-entre-bebianno-e-bolsonaro/>

que, a todo momento, assumia um tom conciliador e equilibrado, diferente do tom ríspido da dupla representada por pai e filho.

Quando se encontraram, reservadamente, para debater o assunto, Bebianno sabia que tudo já estava "resolvido". A interlocutores, pouco depois, fez um desabafo: "Preciso pedir desculpas ao Brasil por ter viabilizado a candidatura de Bolsonaro. Nunca imaginei que ele seria um presidente tão fraco." Numa tentativa de lhe comprar a fidelidade, Bolsonaro acenou com uma possível indicação à embaixada em Roma ou à diretoria da Itaipu-Binacional. Nenhum dos dois convites se consumou ou foi aceito. A exoneração de Bebianno seria confirmada dias depois.

Em dois meses, o maior responsável pela viabilidade da candidatura de Bolsonaro já havia sido projetado para fora do governo. O golpe foi duro. Bebianno, homem experimentado e corajoso, não absorveu bem o impacto de tão escandalosa traição. Eu senti que a mágoa corroeria sua paz. De aliado virou crítico. Denunciou a nefasta influência que os filhos exercem sobre o pai, colocando em risco não apenas a governabilidade, mas também a estabilidade democrática do país.

Convidado por João Doria, filiou-se ao PSDB e declarou apoio à candidatura do governador de São Paulo à sucessão de Bolsonaro. Era pré-candidato à Prefeitura do Rio de Janeiro quando, no dia 14 de março de 2020, aos 56 anos, sofreu um infarto durante a madrugada, no seu sítio em Teresópolis. Morreu no hospital.*

---

* Morreu, mas não está morto. Além do carinho na memória dos seus, Bebianno teria deixado, num celular, revelações nada abonadoras sobre o presidente. Não tenho informações além das que a imprensa já publicou. Para escrever este trecho, procurei Renata Bebianno, que disse ter destruído o aparelho. Se há ou não um *backup* do material, ninguém sabe. Ou alguém sabe, mas não quer contar.

HORAS DEPOIS, meu pai, muito emocionado, se preparava para o funeral. Eu estava sentado à sua frente. A tristeza me abatera como havia muito não acontecia. De repente, uma ligação de Paulo Guedes, com quem havíamos perdido o contato: "Paulo, estou ligando para prestar minha solidariedade pela morte do Gustavo, minhas condolências para você, que eu sei que era muito próximo dele. Peço que você transmita minha mensagem de pesar à esposa e à família dele, ok?" Sem muita paciência, meu pai disse que passaria o contato da Renata, esposa do Bebianno. Guedes, num gesto que serviria de resumo de todo esse período, retrucou: "Não, não posso, faz isso por mim, por favor, vocês sabem que tão querendo a minha cabeça aqui em Brasília, estão querendo me derrubar. Se alguém daqui descobre que falei com ela, isso vai me prejudicar. Espero que você entenda."

Entendeu muitíssimo bem. E desligou o telefone.

CAPÍTULO 5
NÃO HÁ MOTIVO PARA PÂNICO

"Não é o crítico que importa, nem aquele que mostra como o homem forte tropeça, ou onde o realizador das proezas poderia ter feito melhor. Todo o crédito pertence ao homem que está de fato na arena; cuja face está arruinada pela poeira e pelo suor e pelo sangue; aquele que luta com valentia; aquele que erra e tenta de novo e de novo; aquele que conhece o grande entusiasmo, a grande devoção, e se consome em uma causa justa; aquele que ao menos conhece, ao fim, o triunfo de sua realização, e aquele que na pior das hipóteses, se falhar, falhará agindo excepcionalmente, de modo que seu lugar não seja nunca junto àquelas almas frias e tímidas que não conhecem nem vitória nem derrota."

THEODORE "TEDDY" ROOSEVELT (1858-1919),
26º presidente dos Estados Unidos

— *HI, CAPTAIN BOLSONARO!, congratulations! You're speaking to Donald Trump!*

— *Olá, Trâmpi! Uma grande satisfação finalmente poder falar contigo, I speak english porra nenhuma, but I'll try my best aqui, tá ok?*

— *It's totally ok! I love how you sound healthy, I gotta say you're one tough cookie, truly amazing recovery. So... are you ready to rumble?*

— *Pois é, cara, me dei alta aqui, já tava de saco cheio dessa cambada de homem vestido de branco, passando a mão e enfiando tubo em mim, mas tô vivo, firme e forte.**

* Trecho do vídeo "Donald Trump liga para Jair Bolsonaro!", de 17 de outubro de 2018. O diálogo inteiro com legendas em português pode ser acessado no meu canal no YouTube.

A PARTIR DESSE DIÁLOGO absurdo — se bem que, em se tratando dos personagens, nem tão absurdo assim... —, me tornei nacionalmente conhecido como artista da imitação. Foi o primeiro dia do resto (espero que seja um longo resto, aliás) da minha vida.

Quem vê cara não vê o trabalhão que deu chegar àquele resultado. Dias, semanas, meses prestando a máxima atenção aos mínimos detalhes, tanto de Jair Bolsonaro quanto de Donald Trump. Meu Trump foi cuidadosamente lapidado ao longo das eleições americanas de 2016, a partir do anúncio da campanha. Cada trejeito, cada nuance, cada hesitação. Bolsonaro mereceu o mesmo carinho.*

Antes que se agitem, explico: o "carinho" se refere ao "meu" Bolsonaro, à minha criação, e não a Bolsonaro *lui-même*, que, bem, vocês sabem. O imitado é um modelo a quem o imitador empresta um novo sopro de vida, ou melhor, um sopro de uma nova vida. A cada dia que passa, minhas criações se tornam mais reais para mim que os tipos de carne e osso nos quais me inspiro.

A partir do meu canal do YouTube, o vídeo caiu nas vias aéreas das mídias sociais e contaminou todo mundo como gás hilariante. Eram milhares de notificações de hora em hora. *Tremendous*, tá ok?!

Das muitas ligações que recebi, uma foi especialmente importante: Caio Coppolla, o *enfant terrible* da Jovem Pan, queria me parabenizar pela precisão das imitações e, para minha surpresa, fazer um convite para o que seria a primeira entrevista da minha vida.

Missão dada, missão cumprida: entrei pela primeira vez no famoso edifício Sir Winston Churchill, situado no coração da avenida Paulista,

---

* Aliás, o destino é um trapezista bêbado: gravei as falas daquele vídeo fingindo estar deitado em um leito de UTI, no Hospital Albert Einstein, quando, na verdade, era o sofá branco lá de casa, local preferido das sonecas — frequentes — do próprio Bolsonaro durante a campanha.

e participei do *Morning Show*, onde fui muito bem recebido e retribuí fazendo todo mundo rir com as minhas versões — às vezes mais fiéis que os originais... — dos principais (isso não é elogio) políticos do nosso país.

Pouco depois, no fim de fevereiro de 2019, recebi o convite para ser entrevistado no *Pânico*. Aí o jogo virou.

Foi muito especial pra mim. Durante grande parte da minha adolescência, assistir ao *Pânico na TV* era quase um ato religioso. Aos domingos à noite, eu e meus amigos nos reuníamos, pedíamos pizza e nos acabávamos de rir (com a trupe) e babar (com as *panicats*). A caminho da escola, ouvia o *Pânico* na rádio. Esperava todos os dias com a mesma ansiedade a abertura do programa, feita pelo Paulo Jalaska (personagem de Wellington Muniz, o Ceará), que distribuía bons-dias para os mais bizarros tipos concebíveis: "colocador de botão em controle remoto", "pintor de carroceria de caminhão", "afiador de ponta de prego", "colocador de cordão em sunga", "bordador de distintivo de time", "mecânico de motor de roda-gigante", "alimentador de ilusões de adolescente virgem", e por aí vai. Ou ia.

Cheguei ansioso para conhecer Emílio Surita, uma verdadeira entidade, o Silvio Santos da rádio, e Daniel Zukerman, que fazia meu personagem preferido, o Impostor mais sincero do Brasil. Bola (Marcos Chiesa) e Carioca (Márvio Lucio) haviam saído fazia pouco tempo. Ambos, verdadeiras instituições do humor brasileiro. Não seria nada fácil compensar tais perdas.

Eu nem sequer desconfiava que, na verdade, aquilo seria uma entrevista de emprego, nem que eu faria parte de mais um renascimento do show. Embora a ansiedade fosse normal, estava confiante para apresentar meu trabalho: um texto em que Ciro Gomes (que passei meses "incorporando") juntava a retórica emplumada às bravatas populistas, com os bons modos de um Gêngis Khan, denunciando e desafiando o jovem conservador para um hipotético debate (ou, em se tratando de Ciro, duelo, rinha, vale-tudo).

Emílio, deixa eu ver se entendi: a pauta é o Kaká Fake — esse aí que faz cosplay de Kaká, certo? Isso é um boquirroto verborrágico, uma figura escabrosa, um embusteiro de marca maior, porque, se ele representa algo, se é que ele representa, é uma mescla tóxica entre a mitologia neoliberal fascistoide, calcada nos impulsos mais primitivos do espontaneísmo individualista do mercado, seja lá o que for essa entidade abstrata fantasmagórica que essa elite rentista apátrida e traíra atribui às fundações do nosso desenvolvimento, mas que não passa de uma intoxicação ideológica total e completa, é baboseira ginasiana de barão de bucho cheio! E esse fedelho metido a besta que, à custa de Edgard, Paulinha, Fefito e Vini, fica com uma legião de boçais batendo palminha pra ele, que nem foca nos comentários, mas perdoe minha digressão. Basicamente é um papagaio do Paulo Guedes e seus manuais mofados de Chicago, que propõe essa doutrina turbocapitalista vil, darwinismo social elevado à décima potência, em que a lei do mais selvagem impera, e é cada um por si, completamente desmoralizada desde a deflagração da crise de 2008. Se dependesse desse crápula do Kaká Fake era a rapina imperialista yankee descendendo no Brasil semicolônia! E concomitante a tudo isso é a ilusão moralista católica, esse fatalismo reacionário tosco e demodê. Então eu quero que ele vá cachimbar molambo! Tu traz ele aqui que dou uma traulitada, não tem quem aguente aquele peido azedo, cosplay de Kaká, João Ninguém, rola-bosta, embusteiro da pior estirpe. Vai borrar as calças dele, afinal eu estudei em Harvard com o Mangabeira Unger, discursei no plenário das Nações Unidas, eu arranco a máscara dele!

O estúdio veio abaixo e minha carreira foi pra cima.

Dias depois dessa participação, eu estava saindo da PUC quando Paulinha Krausche, produtora do programa, me ligou fazendo o convite para integrar o *Pânico*. Fiquei lisonjeado (mentira, fiquei exultante!), mas pedi um tempo para pensar (fazer charme). A mudança era grande: das praias do Rio aos prédios de São Paulo. Eu queria aceitar, fui incentivado por meus pais a aceitar, mas precisei respirar um pouco. Giulia, minha irmã, já havia se mudado para São Paulo, a fim de se dedicar integralmente à carreira artística. Para mim, era um atrativo, já que somos muito próximos. Topei. Essa decisão mudaria os rumos da minha vida.

A JOVEM PAN É uma escola de imitadores. Do rádio à TV, do analógico ao digital, o humor por meio da imitação faz parte da cultura da emissora. Gerações se sucedem e talentos continuam a aparecer, ou feitos em casa ou bem recebidos nela.

Criado em 1993 pelo Tutinha,* o *Pânico* vem se reinventando ano após ano, sem perder a relevância. Conquistou a cidadania televisiva e migrou de vez para a internet. Quanto ao conteúdo, entretanto, o perfil mudou (e tenho minhas dúvidas se, a longo prazo, para melhor). Do escracho, dos trotes e das *gags*, o programa ganhou fortes contornos políticos. Isso tem feito dele um sucesso em tempos de radicalização, mas pode ser sua ruína.

Minha chegada coincide com o pico dessa curva. Márvio Lucio, o inesquecível Carioca, saiu por motivações semelhantes às que me fariam pedir demissão em novembro de 2021 (após protagonizar

---

* Tutinha Carvalho, como é conhecido o empresário Antônio Augusto Amaral de Carvalho Filho, dono da Jovem Pan, neto de Paulo Machado de Carvalho, fundador da TV Record.

acalorados e polêmicos embates políticos). Em entrevista ao *Mais que 8 minutos*, de Rafinha Bastos, Márvio declarou que "chegava em casa com o sangue espumando", e que "às vezes o *Pânico* foi para um caminho, enquanto eu tava lá, que eu não queria". Mais tarde eu entenderia bem isso.

Mas, antes de entender, é preciso experimentar e aprender com a experiência. Fui convidado para compor o trio permanente e assumir o papel de imitador "oficial" dos exóticos espécimes da nossa fauna política, que tem bichos mais estranhos que o deserto da Austrália.

O programa ao vivo é um sobe e desce de pressão arterial. A única coisa previsível nele é a imprevisibilidade. No *Pânico*, você sabe como entra mas não faz ideia de como sai. A variedade de assuntos e a diversidade de convidados chega a ser caótica, e estar preparado diariamente não é tarefa das mais fáceis: da reforma da Previdência a Pabllo Vittar, das urnas eletrônicas a Gretchen, o moedor de pautas engole tudo em volta.

No primeiro ano, trabalhei no saudoso estúdio do décimo quarto andar, onde o *Pânico* nasceu e aconteceu por décadas. A energia era mais forte, como se todas as vozes dos grandes humoristas ecoassem pelos cantos. Recém-chegado, me ensinaram os dois mandamentos do programa: 1º: não "pegue pilha", ou seja, aprenda quanto antes a absorver as provocações que fazem parte da dinâmica do programa. Ninguém é poupado. 2º: "renda" o bloco, isto é, perceba quando os assuntos ou convidados têm potencial para mobilizar a audiência e gerar bochicho.

O *Pânico* é um faroeste midiático, uma anárquica radionovela feita ao vivo, no improviso, sem pé nem cabeça, sem mocinho nem bandido. As conversas viram debates, os debates viram brigas, as brigas... bem, Tomé Abduch* que o diga. Mas isso eu conto depois.

Cheguei tentando mostrar serviço e me levando a sério demais. Com o tempo, acertando e (principalmente) errando, peguei o *timing* das inserções, que exigiam extrema atenção em meio à cacofonia do programa, para que fossem registradas e talvez mudassem o rumo da prosa. Muitas vezes, porém, o papo fazia referência ao passado do próprio show, da rádio, de integrantes antigos, de personagens aposentados ou de piadas internas. Aí eu ficava quieto, ouvia e aprendia.

A VERDADE É QUE aprendi muito com Emílio Surita.

Sua chegada à Jovem Pan mudou a história contemporânea do rádio no Brasil. Ele imprimiu um estilo, uma marca, uma atitude. Gostem ou não, a culpa é dele. Essa irreverência de quem está cansado, essa acidez de quem está desencantado são notas de uma personalidade que dá o tom do programa que ele comanda, e que se espalha por toda a empresa. Tutinha que me desculpe, mas o dono "moral" da rádio é o Emílio: barba malfeita, camiseta desengonçada, como um Serginho Groisman meio punk, que você nunca sabe se é um sujeito de 60 anos com cara de menino ou um menino com cara de sujeito de 60 anos.

Emílio resmunga o tempo todo e fala que não vê a hora de se aposentar. Balela. Duvido que pare e faça outra coisa. O que não significa que esteja feliz com a nova linha editorial que, pelas circunstâncias, teve que aceitar, sufocando a independência que sempre foi sua marca registrada.

---

* Empresário, coordenador de movimento social e, nas horas vagas, que parecem ser muitas, flanelinha ideológico. Falaremos dele adiante.

O apresentador que conheci no início de 2019 era diferente daquele de quem me despedi no fim de 2021. O programa se tornou mais de política do que de entretenimento. Com isso, a emissora precisou fazer suas escolhas. Escolheu a adesão. Em parte, talvez porque o próprio Bolsonaro fosse um político que, em alguma medida, fazia entretenimento; em parte, porque havia uma audiência não atendida. Havia um consumidor para quem a bajulação governista travestida de "conservadorismo de direita" era o produto a ser vendido.

Um veículo de comunicação pode assumir lado, contanto que isso não comprometa sua independência e não coloque em xeque a credibilidade de seus participantes, ou seja, quando o governante erra, você aponta o erro. Quando o político mente, você diz que é mentira. Quando o governo fracassa, você expõe o fracasso. Mas não foi bem isso o que aconteceu e vem acontecendo.

Em meio à maior crise sanitária da nossa geração, o anunciado projeto liberal-conservador gorou. A equipe técnica foi desmontada. O combate à corrupção virou combate ao combate à corrupção. O idealismo deu lugar ao cinismo. Vi essa transformação — seria mais justo dizer: putrefação — acontecer no país. Todos vimos. Acreditei que fosse óbvio, julguei que fosse honroso, mostrar que o que estávamos vendo era o que de fato estávamos vendo. Era o que eu tentava fazer diariamente. Quase sozinho, com a ajuda ocasional e pouco entusiasmada de um ou dois dos meus colegas.

Notando que as opções governistas no jornalismo, dentro da própria Jovem Pan, ganhavam em volume de audiência, Emílio quis aquele público pra ele. Não admitia perder relevância, mesmo que o preço fosse perder confiabilidade aos olhos de uma parcela "raiz" da sua audiência cativa, uma vez que seu clássico posicionamento antissistema foi se acomodando ao novo estado de coisas. Afinou as cordas do sarcasmo para que a melodia ganhasse uma textura agradável aos ouvidos do bolsonarismo. A seu modo, assumindo um discurso fácil de "mas o Barba também isso", "o Calcinha Apertada também aquilo", se ocupou de fazer render e receber os dividendos da polarização. Um gênio da comunicação, que sempre se orgulhou de fazer do *Pânico* um palco para quaisquer convidados, topou que o palco virasse palanque para alguns candidatos ou militantes mal disfarçados de formadores de opinião.

Nos bastidores, é preciso ser justo, sua percepção do fenômeno Bolsonaro alternava admiração e descrença. Para ele, o presidente pode ser um grande enxadrista que peitou a Globo, mas também um matuto destrambelhado incapaz de peitar os filhos. Contudo, a visão que predomina é a de um jornalismo condescendente, um humor calculado para atingir certos alvos e poupar outros. Isso se refletiu na condução do programa feita pelo apresentador, nas opiniões e piadas de quase todos os integrantes e na escolha cada vez mais enviesada de muitos convidados. Dou um exemplo.

Ele nunca foi negacionista. Entendeu que a pandemia era um acontecimento histórico dos mais graves, matou milhões de pessoas e colocou todos em risco. Vacinou-se, usou máscara, foi cuidadoso no distanciamento social e promoveu campanhas de conscientização. No entanto, o *Pânico* recebeu deputados, influenciadores e comentaristas que ou negavam tudo ou minimizavam a tragédia impunemente. Então, quando eu afirmava o óbvio diante de convidados ou colegas, isto é, que o governo de São Paulo teve o mérito de financiar a primeira vacina eficaz disponível no Brasil, ele retrucava: "Você é tucaninho, você é Doria", "A CoronaVac é a Kaiser das vacinas" etc. Até hoje não sei se havia método nesse tratamento ou se era resultado de uma personalidade que, no alto de sua autoridade como mandachuva do programa — e em nome do espetáculo pelo espetáculo — deliberadamente conduzia o programa ao tatame do vale-tudo independente das escoriações causadas na reputação dos seus colaboradores. No frigir dos ovos, era cada um por si.

Essa ambiguidade tem contaminado sua liderança. A insatisfação crescente que me fez tomar a decisão de sair do *Pânico* não teve como causa primeira as discussões ou polêmicas acontecidas ali, mesmo as mais graves, como as que contarei adiante. Na verdade, antes de sair, me senti "saído". Diariamente, em cada debate, em cada controvérsia, minha voz foi sendo abafada. Fosse por meio de um gerenciamento de fala, em que eu era insistentemente cortado ou interrompido, fosse por meio de um recurso ainda menos honesto: o volume do meu microfone era reduzido com irritante frequência.

Mas nem só de Emílio vive o *Pânico*. O time era variado, as personalidades eram distintas e o que a gente não resolvia ao vivo, resolvia *à la carte*. No Bar da Dirce.*

Daniel Zukerman foi minha grande referência: engraçado, com *timing* cirúrgico e jeitão insubordinado. Em Samy Dana, tive um aliado improvável: não imaginava que seria um professor de economia, o mais próximo de um parceiro "ideológico" que eu encontraria ali. Alba Expider, ou "Professor Villa", entrou comigo e foi meu parceiro. Descobrimos afinidades culturais inesperadas, mas, ao contrário de mim, sempre se manteve alheio — às vezes alienado — quando o pau quebrava. Rogério Morgado foi inegavelmente um grande — com trocadilho — antagonista, e mostrou todo o seu talento para ser

---

* O Bar da Dirce, na avenida Paulista, é o ponto de encontro informal dos integrantes do *Pânico*. A cozinha do programa. Um PF pra lá de honesto é servido a preço justo, bom atendimento e apimentado por fofocas recém-saídas dos estúdios da Jovem Pan. Basta frequentar depois das duas da tarde e ficar atento. Recomendo.

meu vice. O importante é competir, ele sabe. Um comediante simpático, bem acomodado ao meio e que nunca incomodou ninguém.

Com a jornalista Kallyna Sabino, simpática e amistosa, protagonizei um momento do qual me arrependo — e pelo qual peço desculpas. Preciosismos gramaticais são menos importantes que gentileza profissional.* Paulinha Krausche, a quem agradeço por ter me feito o convite, parece ter se arrependido da ideia quando viu que meu comprometimento era com a minha consciência e não com a sua agenda.

OS MAIS DE DOIS ANOS que dediquei ao *Pânico* funcionaram como estágio intensivo num laboratório em que se manipulavam, nem sempre com responsabilidade, os elementos mais inflamáveis e explosivos da cultura brasileira e do debate público: direita, esquerda; situação, oposição; censura, liberdade de expressão; adesismo, cancelamento.

Conforme os meses e os memes passavam, precisei me adequar à mudança dos ventos editoriais: entrei como imitador, saí como crítico. Digo mais: saí *por ter* me tornado crítico. Minha voz passou a soar dissonante num samba que se contentava com uma nota só. Eu era a quebra de rima que incomodava o refrão preguiçoso do consenso. Não era minha intenção, mas fizeram de mim o bode expiatório do fanatismo alheio — e eu fiz o que pude para esclarecer o que no vozerio ia ficando obscuro. O humor, infelizmente, virou escada para a falta de humor de quem tinha certezas demais e ceticismo de menos.

---

* A jornalista Kallyna Sabino era a responsável pelo giro de notícias que antecedia os debates. Certo dia, ao comentar determinada notícia, ela disse que tal fato aconteceria no "dia um de...". Esperei pacientemente que ela terminasse o bloco para lhe chamar a atenção: no português, o costume gramatical pede a fórmula "dia primeiro de tal mês", não "dia um de tal mês...". Ela ficou sem graça, eu quis fazer graça, e o que seria um chiste virou uma pequena altercação. Uso gramatical à parte, fui desagradável sem necessidade. Ficou tudo bem depois.

A política é o esporte mais violento que existe, mas nem por isso devemos ignorar algumas poucas regras. Tentei observar certos princípios de civilidade e, principalmente, de objetividade. Eu queria que a recíproca fosse verdadeira, mas não era.

Alguns embates, entre os mais acalorados, aconteceram pontualmente. Fosse um convidado, fosse um colega, é natural que num programa diário os ânimos se acirrem. Quero destacar apenas os que ultrapassaram todos os limites — seja pela agressividade, seja pela recorrência.

Longe de mim lavar gravata suja em público, uma vez que os nomes pouco importam. Eles são máscaras, amostras, bonecos de ventríloquo. Há quem fale por eles: eles mesmos só mexem a boquinha. Para não fulanizar a conversa, peço licença de chamá-los de "bonecos": boneco Eduardo, boneco Constantino e boneco Tomé. Não fiquem com raiva deles. Eles são exemplos de algo maior.

O boneco Eduardo é o boneco oficial. Dele a gente sempre podia esperar o pior. Me dava um pouco de preguiça discutir com o filho do homem, porque eu sabia que nada ali era genuíno, nem mesmo as reações aos meus questionamentos. Deputado federal por São Paulo, estado que registrou como seu dormitório eleitoral, é carioca da gema: conhece todos os ovos podres do Rio de Janeiro. Não faz rigorosamente nada além de justificar o fato de não estar fazendo rigorosamente nada, exceto viajar de lá pra cá, de cá pra lá, sem projeto, sem discurso, sem propósito, sem eira nem beira. Sua vida consiste em dividir a atenção do pai com os irmãos e emprestar a ele um vestígio de coerência. Invariavelmente fracassa.

Sobre liberalismo, estudou pouco e aprendeu menos ainda. Também pudera: vive do setor público desde que fazia nas fraldas o que hoje faz no gabinete. Fingia ler o filósofo conservador Roger Scruton,

116

mas comprava o livro pela capa. Candidatou-se à embaixada do Brasil nos Estados Unidos, sem saber direito o que faz um embaixador, além de embaixadinhas. Maior representante da escola diplomática da tietagem, desde o quinto grau de parentesco da família Trump a ditadores cristofóbicos que ele diz combater, acreditou que sua proficiência na fritura de frango o credenciaria ao posto. Mas seu inglês macarrônico não prestou sequer para decorar o nome do mais influente diplomata americano do último século, Henry Kissinger, que o boneco Eduardo provavelmente confunde com o ex-vocalista do Engenheiros do Hawaii Humberto Gessinger. Certa vez, aceitou ir ao *Pânico*, mas impôs uma condição: que eu, euzinho, integrante fixo da bancada, não participasse. "O Marinho não participa amanhã." Condição negada, mas ele foi assim mesmo, corajoso como um membro de torcida organizada. Falou o que quis, ouviu o que não quis. Acostumado à deferência, saiu com a banana entre as pernas.

O boneco Constantino é o *gossip puppet*. Ex-economista, com especialização em ressentimentos, estudioso do fenômeno da extinção dos machos, respeitado *sommelier* de testosterona, hoje ocupa sua vida com a vida alheia. Profissional tão independente, mas tão independente, que independe até da inteligência. Mora nos Estados Unidos, mas enche a paciência do Brasil. Suas maiores inspirações no debate público são as velhas fofoqueiras de bairro, que gastam tempo julgando a felicidade ou infelicidade dos vizinhos. Transformista intelectual, nulidade de muitos talentos, já foi — ou é — um pouco de tudo: libertário, liberal, ateu, cristão, entusiasta do MBL, inimigo do MBL, *sparring* do Olavo de Carvalho, devoto do Olavo de Carvalho, crítico do governo Bolsonaro, defensor do governo Bolsonaro, médium do advogado, escritor e comentarista político Ben Shapiro, conservador de boa estirpe, ex-gordo, futuro ex-magro.

Resiliente como um joão-bobo, balança mas não cai. Acossado pela Anitta, chorou em público e mostrou que bonecos têm coração. Mas seu maior feito foi ter sido feito de idiota por Ciro Gomes, que lhe mostrou com quantos bilhões se faz um meme. Reconheço, entretanto, que ele é um vocacionado: não me lembro de alguém ter defendido tão bem um governo tão mau. Faz por submissão o que muitos assessores não fazem por dinheiro. Consta que tem feito sucesso na indústria têxtil, com a alta demanda por tecidos de boa qualidade, com que são confeccionados os panos de prato para limpar a gordura mentirosa dos políticos. Em todos os nossos debates, me surpreendi com a sua capacidade de absolver Bolsonaro até dos pecados que ele ainda não cometeu. Boneco Constantino tem a força de um exército inteiro dedicado à bajulação, e puxa o saco de político com a tração de duzentos cavalos. Ou burros. Há quem o acuse de interesses escusos e de ter hipotecado a própria alma por trinta moedas de ouro. De jeito nenhum! Eu o defendo de acusações tão infames e, com a certeza de quem foi seu colega, garanto: ele nasceu pra isso mesmo. Faz de graça. Faz porque quer.

O boneco Tomé é o boneco emocionado. Está sempre oferecendo suas lágrimas para quem cruza seu caminho. Não tem o crachá do boneco Eduardo, não tem o talento do boneco Constantino, mas é esforçado. Ele faz de tudo para ser notado pela família Bolsonaro. Vem com aquela fala mansa de agente funerário, aquela lábia viscosa de vendedor de carro, um anunciando morte, outro oferecendo PT Cruiser usado, e quer nos empurrar justificativas, desculpas, explicações sobre o governo que ele defende com unhas e dentes, socos e armas de fogo. Vocês pensam que é exagero meu? De jeito nenhum.

Coordenador do movimento Nas Ruas, tornou-se *habitué* do *Pânico*. Ficava mais lá que nas ruas. É metido a *sommelier* de patriotismo. Tenta desqualificar o amor alheio ao país contando o número de quilômetros rodados em manifestações. Não sei por quê, mas ele sempre quis ver o tamanho do meu engajamento; como não somos da mesma turma, não fiz questão de mostrar. Ele deve ter ficado sentido. Mas interessante mesmo é ver como os motivos de suas indignações foram mudando. Antes, ele protestava contra a corrupção e criticava quem tinha políticos de estimação. Agora, ele justifica a corrupção e serve de eleitor de estimação àqueles políticos. Todo mundo tem direito de mudar, é claro. Uns, como Boneco Tomé, mudam pra pior.

Em sua primeira participação, eu me lembro, ele defendia o governo das minhas críticas à indicação ao STF de Kassio Nunes Marques, próximo de Lula e do PT; à defesa de Arthur Lira, na época réu por peculato e lavagem de dinheiro; à demissão de Sergio Moro do Ministério da Justiça e o consequente desmonte da Operação Lava Jato; à intervenção na Polícia Federal em favor dos filhos etc. Enquanto eu listava fatos sobre fatos, dados sobre dados, ele choramingava, retrucando que eram minhas "opiniões". Nisso, aliás, os fanáticos da direita aprenderam direitinho com os fanáticos da esquerda: dissolver os critérios objetivos que distinguem expectativa de realidade, acontecimento de interpretação.

Amassado pelos *jabs*, cruzados e ganchos argumentativos, saiu-se com apelos patrióticos pra desertor nenhum botar defeito. Pressionado contra a parede das contradições governamentais, apelou para o gongo do "E o Doria?", "E o Lula?", "E o Moro?". E, quanto mais eu o empurrasse para as cordas das próprias mentiras, mais Emílio Surita e Adrilles Jorge, ex-BBB, ex-amigo de Pedro Bial e possivelmente ex-*castrato*, vinham em seu socorro, tentando equalizar nossas posições e reduzir todas elas, as minhas e as dele, a pontos de vista mutuamente válidos. Ele percebeu que teria ali alguns aliados. Percebeu certo.

Um diálogo que tivemos foi revelador. No fim do nosso primeiro encontro, já nos bastidores, ele me chamou:

— Marinhooooooo!...

— Toméééééééééé!...

— Marinhô, cê sabe, né, meu, que por causa da minha carreata no domingo não pude concordar com nada do que você disse, mas eu concordo com tudo, é um absurdo tudo que tá acontecendo, mas cê me entende, cara?, eu não poderia te dar razão no ar, senão vai desmobilizar minha carreata. Cê me entende, cara?...

Perfeitamente. Na verdade, eu já tinha entendido antes que ele me pedisse.

Boneco Tomé, aquele que, quando se trata de corrupção no governo Bolsonaro não acredita nem vendo, voltaria mais vezes, e mais vezes arrastaria sua longa cauda de justificativas pelos corredores do estúdio. Tomé virava Judas e distribuía lágrimas e elogios como balas de são Cosme e são Damião a quem encontrasse pelo caminho — de Sergio e Rosangela Moro a João Doria e Joice Hasselmann —, mas lhes traía a confiança na primeira oportunidade. Tem gente que, quando você aperta, entrega. Um dia entregou o pior.

A essa altura, todo mundo já sabe do que se trata.* Mas o resumo da ópera-bufa é que, em mais uma discussão quente no caldeirão em que o *Pânico* havia se tornado, boneco Tomé fez acusações graves contra meu pai, que respondi com a voltagem devida. Aprendi com Donald Trump que o contra-ataque a uma acusação, especialmente quando injusta,

---

* "Meu posicionamento sobre o incidente de hoje no *Pânico*." O vídeo de 11 de maio de 2021 pode ser acessado no meu canal no YouTube.

tem de ser dez vezes mais potente que a própria acusação. Enquanto eu defendia minha honra e a honra da minha família, ele defendia a desonra de um grupo político que havia feito o contrário de tudo, rigorosamente tudo, que prometera. Entre socos retóricos de um lado e pontapés dialéticos de outro, eis que o boneco ganhou vida e veio pra cima de mim com (sua tentativa de) socos e pontapés de verdade. Era o que lhe restava fazer, machucado pelas verdades que eu atirava em sua cara. Avançou sobre mim espichando o bracinho, esticando a perninha como um louva-a-deus sem fé, e tive de me defender.

O espanto foi tão grande que demorei uma fração de segundo para reagir. Quando atinei com aquele vilão de desenho animado voando pra cima de mim, larguei um soco meio desgovernado na direção dele. Fã do Rocky Balboa, desonrei meu ídolo, fiz feio, mas isso bastou para raspar o queixo do boneco Tomé, ele tombar para trás e descobrir, na prática, que a Terra é mesmo plana. No meio da bagunça, pudemos ver que um dos seus seguranças estava armado, e chegou a fazer um gesto indicando que, democraticamente, sacaria o revólver. Por muito pouco a covardia intelectual do boneco Tomé não termina em morte do menino André. Deve ser isso o que ele aprende nas ruas.

Sendo bem sincero? O saldo foi positivo pra mim, em termos de popularidade e engajamento, mas não me orgulho. E foi positivo para o boneco Tomé, que se orgulhou da briga, porque saiu do anonimato para o qual despontava e virou o Pinóquio predileto do Gepeto presidente. Nunca desejei que as coisas terminassem como terminaram, não é o tipo de recurso que emprego para lidar com as discordâncias, mas aconteceu. Daquele momento em diante, minha permanência no programa ficava cada vez menos provável: eu não queria aquilo pra mim. Eu não queria que meu público me associasse, ainda que a despeito das minhas ações, àquele tipo de *freak show*. O *Pânico* estava prestes a me provocar crises de pânico. Algo mudou interiormente, e mudaria em definitivo algum tempo depois.

NO DIA 27 DE OUTUBRO de 2021, Jair Bolsonaro aceitou retornar ao *Pânico*, acreditando que seria tratado como o mito que ainda imaginava ser e não como a superstição em que se transformara. Bolsonaro participava da entrevista por vídeo, de Manaus, transmitindo o programa simultaneamente em suas redes.

Imitador por vocação, crítico por acidente, me preparei para fazer o trabalho jornalístico que se espera de quem, ainda que não seja jornalista, cumpre esse papel numa emissora cuja voz se espalha por todo o país.

O programa começou.

Tapete vermelho estendido, bolas devidamente levantadas, questionamentos protocolares, o roteiro seria previsível e a chapa passaria em branco, não fosse o *plot twist* que uma pergunta simples — irônica, mas simples — provocaria.

Num encontro quase poético entre imitador e imitado, entre princípio e fim, assumi que, diante de um palhaço, só mesmo um *clown* que falasse a língua da sátira para cobrar a seriedade que um cargo de tamanha envergadura exige: "Rindo, moralizam-se os costumes", dizia o provérbio.

— Presidente Bolsonaro, André Marinho aqui, uma honra revê-lo, você que muito além de nosso presidente da República é um verdadeiro mito, mas realmente está todo mundo aqui muito preocupado com o retorno do PT ao poder.

Apontei todos os desmandos, truques e crimes do PT — emendas secretas, conluio com o Centrão, compra de base parlamentar, milícia digital, indicação de aliados e… prática de rachadinhas. Por fim, singelamente, questionei:

— Presidente: rachador tem que ir pra cadeia ou não?

Fácil demais. A resposta foi a que eu esperava:

— Marinho, você sabe que eu sou presidente da República e eu respondo sobre os meus atos, tá ok? Então não vou aceitar provocação tua, você recolha-se aí ao teu jornalismo, não vou aceitar. O teu pai é o maior interessado na cadeira [no Senado] do Flávio Bolsonaro. O teu pai quer a cadeira do Flávio Bolsonaro...

Nenhuma palavra sobre minha dúvida sincera.

Adrilles, então, quis fazer sua pergunta, não sem antes uma revelação de cunho afetivo:

— Senhor presidente, é um prazer e um tesão, no sentido metafísico do termo, conversar com o senhor...

Eu, que não sou preconceituoso, nada tenho contra quem sente desejos metafísicos e presidenciais. Observei pacientemente que ele discorresse sobre as grandes injustiças da mídia contra o mandatário. Depois dele, outros colegas alisaram, quer dizer, perguntaram.

Bolsonaro subiu novamente no seu palanque mental e disparou as platitudes costumeiras:

— Eu tô sendo o osso, o espinho na garganta de corruptos! Querem a volta disso no Brasil?!

Não satisfeito com a libidinosa troca de afagos entre os colegas e o convidado, insisti:

— Não, não queremos, não, mito! O PT não pode voltar. Então, por favor, responda à pergunta que te fiz, cara. Por quê? Só quer pergunta de bajulador?...

Adrilles Jorge se estrangulou com a carapuça que comprei numa loja popular e lhe caíra tão bem. Entendeu que a indireta era pra ele (não era; mas sou responsável pelo que falo, não pelo que entendem) e reagiu:

— Você me respeita, rapaz. Bajulador é seu pai, que bajulava o presidente e não recebeu ministério. Você se transformou em oposição porque seu pai não recebeu ministério. Cara de pau...

Não entendi nada. Eu só estava preocupado com a volta do PT. Por que isso incomodou tanta gente? Vai saber.

Em meio à confusão, o digníssimo presidente, que é tchutchuca com o STF e tigrão com humorista, avisou aos berros que não voltaria "se Marinho entrasse na tela novamente".

Aproveitou o bate-boca, levantou-se da cadeira e foi embora. Esse é o Bolsonaro que eu conheci!

A repercussão provocou uma hecatombe nas mídias e redes sociais, nos programas televisivos e, é claro, nos bastidores do *Pânico*. Entre colegas e diretores, alguns viram na minha atitude um gesto de irreverência inaceitável. Emílio me confidenciou que a pressão externa sobre a rádio nunca foi admitida, mas foi sentida. Ninguém enfrenta o poder impunemente.

Fui para casa sabendo que, fosse por eles, fosse por mim, a jornada tinha acabado. Aquilo já não me fazia bem em nenhum sentido.

AO CONTRÁRIO do que muitos sugeriram em sites de fofoca, não fui demitido, embora alguns (ou *alguma*, pra ser mais exato) quisessem. Outros tentaram me convencer a ficar, porque "eu rendia". Precisavam de mim para que o monoteísmo ideológico fosse agitado por algum tipo de heresia.

Fiquei mais alguns dias, e serviram para que qualquer dúvida virasse certeza.

Um dos grandes amigos que fiz nos últimos dois anos foi o empresário Cesinha Bekerman, que se aproximou após assistir à minha participação no *The Noite*, programa do SBT comandado por Danilo Gentili.

Ele, que havia sido empresário do Bola e do próprio Carioca, conhecia o *Pânico* de dentro pra fora. Conselheiro ao longo de todo o processo, me disse uma coisa que nunca esqueci: "No dia em que você for trabalhar infeliz é porque você tem que sair."

Eu não estava feliz. Refleti bastante, conversei com meus pais e alguns amigos, pesei prós e contras na balança do caráter. Escrevi uma carta para Emílio Surita que, percebendo o que estava prestes a acontecer, me ofereceu férias. Agradeci, mas não era de descanso o que eu precisava, mas de mudanças. Dias depois, foi a minha vez de, com a consciência de quem nunca fugiu de uma pergunta, levantar-me da cadeira e ir embora.

Não havia mais nenhum motivo para *Pânico*.

CAPÍTULO 6

FAZER HUMOR QUANDO É PROIBIDO RIR

*"O humor serve para muitas coisas,
inclusive para fazer rir."*

CHICO ANYSIO (1931-2012),
comediante e ator cearense

ERA UMA VEZ um jantar.

Mas, nos últimos anos, desde que a vida pública — e do público — se misturou à minha vida privada, às vezes por circunstâncias alheias à minha vontade ou que nem sempre dependiam de mim, um jantar passou para o anedotário político nacional como *o jantar*.

Mil teorias da conspiração foram criadas para explicar meu papel num evento para onde nem era para eu ter ido.

Vou explicar melhor.

Na tarde do dia 13 de setembro de 2021, meu pai comentou comigo que haveria um jantar na casa de Naji Nahas, empresário libanês que é um *gentleman* no trato pessoal. Figuras ilustres da política, do direito e da comunicação estariam lá. Infelizmente, eu não contava como uma dessas figuras ilustres: os lugares à mesa já estavam ocupados sem mim.

Acontece que os ventos sopraram a meu favor quando o jornalista e empresário Ricardo Amaral, inventor da noite carioca, autor de *Vaudeville: Memórias,* avisou que não conseguiria chegar a tempo do Rio de Janeiro.

Lamentei comemorando. Como diria o publicitário Nizan Guanaes, "enquanto uns choram, outros vendem lenços". Um lugar sobrou. Era o meu lugar. Vendi meu lenço e fui.

Que o leitor não estranhe esse meu interesse numa reunião de políticos, empresários e juristas. Ninguém precisa imaginar coisas escabrosas quando os fatos são singelos até demais.

Ora, independentemente das relações que minha família tenha com certas outras famílias e personalidades influentes, a despeito de moralismos de Semana Santa ou purismos de centro acadêmico, eu sou um observador de miudezas, um cronista do hábito alheio. Meu alvo predileto são os políticos. Sou obcecado com isso, e aproveito todas as oportunidades para ver essas personalidades de perto.

Meu ofício é, digamos, empírico. Depende de observação. Depende de contato. Não existe imitador teórico. Se eu não vir, se eu não me aproximar, se eu não prestar atenção aos movimentos, trejeitos e expressões, não faço bem o que faço. O imitador é um antropólogo do gesto, é um cientista do tique nervoso.

TODA HISTÓRIA TEM uma pré-história.

Dias antes, Bolsonaro divulgara a "Declaração à Nação", em que o despresidente tentava apaziguar uma crise que ele próprio criara com as insinuações golpistas do 7 de Setembro na avenida Paulista: "Nós devemos, sim, porque eu falo em nome de vocês, determinar que todos os presos políticos sejam postos em liberdade. Dizer a vocês que qualquer decisão do senhor Alexandre de Moraes este presidente não mais cumprirá. A paciência do nosso povo já se esgotou", afirmou Bolsonaro.

O texto apaziguador foi escrito pelo ex-presidente Michel Temer, que fez o papel de bombeiro institucional mais uma vez. Aqui me permito fazer um exercício de profecia reversa: se ele não tivesse interferido, é possível que houvesse uma ruptura democrática de fato. Não houve ruptura, e aqui me dou o direito de especular os motivos. Além da intervenção do ex-presidente Temer, é preciso considerar que Bolsonaro mais late que morde. Não acredito que ele tenha a coragem necessária para sustentar um golpe tradicional. Ele afina. Ainda bem.

Então esse era o contexto do jantar.

Chegamos à suntuosa mansão de Nahas, que parece ter contratado o design de interiores de um castelo da Disney para decorar tudo aquilo. Senti calafrios de arqueólogo com aqueles vasos, móveis, lustres e tapetes, mas segurei a onda e até me comportei bem. Sou crescidinho e sei lidar com entidades ancestrais.

Falando nelas, hora de escalar o *dream team*.

À mesa, além do já citado anfitrião, estavam:

Roberto D'Avila, jornalista e apresentador da GloboNews.

João Carlos Saad, o "Johnny" Saad, presidente do Grupo Bandeirantes.

Antônio Carlos Pereira, jornalista, ex-diretor de opinião do *Estadão*, que se aposentara pouco tempo antes.

José Yunes, advogado, amigo de Temer.

José Rogério Cruz e Tucci, também advogado, professor da USP.

Raul Cutait, respeitado cirurgião do Sírio-Libanês.

Gilberto Kassab, presidente do PSD, ex-prefeito de São Paulo e articulador capaz de juntar gregos e troianos, israelenses e palestinos, palmeirenses e corinthianos.

Enquanto os convidados chegavam, íamos nos hidratando com Blue Label, beliscando acepipes, conversando amenidades. Somadas, as idades dos comensais remontariam à moderníssima dinastia de Tutancâmon. Eu era o mais jovem (se bem que, perto deles, qualquer um seria mais jovem). Estava ali para aprender tudo e não mexer em nada.

De repente, Johnny Saad tilinta o talher na taça e discursa:

— Pessoal, pessoal, o papo tá bom, mas estamos aqui para ouvir o nosso presidente Temer, que foi a Brasília e atuou brilhantemente como o MacGyver brasileiro.*

Pois Michel Temer, com algumas mesóclises e uns artigos da Constituição, desarmou a bomba que estava prestes a explodir nossa democracia. Escreveu a carta, colocou Bolsonaro para falar ao telefone com Alexandre de Moraes, ministro do STF, e botou Carlos Bolsonaro temporariamente de castigo.

Devemos a realização das eleições de 2022 ao autor de *Elementos de Direito Constitucional*, que saiu de sua "anônima intimidade" para garantir que tivéssemos alguma pública exterioridade. Os candidatos não são animadores, mas a alternativa é pior.

A comilança seguia. Mergulhávamos frases no *homus tahine*, entabulávamos conversas com tabule, misturávamos coalhada às chacoalhadas na Constituição Federal, comíamos kafta enquanto divagávamos sobre o kafkiano estado de coisas. Acreditem, a única conspiração assumida por todos era contra a balança.

---

* Para quem não sabe, Angus MacGyver foi um personagem vivido pelo ator Richard Dean Anderson. A série foi ao ar de 1985 a 1992. Aqui, ganhou o título de *Profissão: Perigo*. O herói era capaz de desarmar bombas, desatar nós, desbaratar esquemas usando engenhosidade e inteligência. Com um chiclete e um clipe de papel, salvava o mundo. MacGyver virou sinônimo de esperteza — ou, muito brasileiramente, de gambiarra.

Calhou-me ficar à cabeceira da mesa. Naji Nahas, que gosta muito das imitações que faço, suspeito que tenha me posicionado estrategicamente ali. Súbito, ele levanta sua taça, pede a atenção dos amigos e anuncia, com sotaque excêntrico:

— Temos aqui um grande artista, que está nos agraciando com sua presença. Por favor, André, faça as imitações que amo tanto.

Fiz as imitações que ele ama tanto. Emendei Trump no Doria, Doria no Ciro, Ciro no Biden, Biden no Bolsonaro.

Aí já viu.

Um dos "problemas" de imitar gente como o Bolsonaro é que a proximidade entre imitador e imitado é tão grande, mas tão grande, que, ao mesmo tempo que faz rir, faz chorar. Rir, porque é absurdo. Chorar, porque o absurdo está perto demais do verdadeiro.

Temer ria enquanto "Bolsonaro" reclamava:

— E essa cartinha que eu recebi, é tua? Achei ela meio infantil, meio marica, eu estou achando que foi o Michelzinho que mandou para mim...

Alguém duvida que ele seria capaz de dizer palavra por palavra?

Eu o conheci e não duvido:

— Cadê a parte que eu combinei de roubar as perucas do Fux? Cadê a parte que eu combinei de botar o pau de arara na Praça dos Três Poderes e dar de chicote no lombo de Alexandre de Moraes? Assim não vai dar!

Reparei que, num canto, Elsinho Mouco, publicitário, marqueteiro do Temer, gravava tudo. Quem grava publica. Vi que ia dar merda. Mas continuei. Quer dizer, Bolsonaro continuou:

— Já que tu me salvou aí, você está creditado junto ao meu governo aí. E quando tu quiser, tu pode me ligar aí, que eu te recebo com os meus cupinchas aí, que vão estar prontos para botar o tapete vermelho para você aí, tá ok?

A comida acabara, mas o jantar não acabaria ali.

Mal cheguei em casa e Ricardo Noblat já tinha publicado: "Caiu na rede!" Ele é impressionante. Sabe das fofocas antes de todo mundo. Aliás, sabe das fofocas antes dos próprios fofoqueiros. Você está prestes a contar uma fofoca, você está quase cometendo aquela indiscrição que a imprensa gosta. De repente, sente uma presença por sobre seu ombro. Olha pro lado e lá está o Noblat, com um caderninho, anotando tudo, sugerindo pauta, revisando o furo de reportagem antes de a reportagem ser feita com furo ou sem furo.

No dia seguinte (obrigado, Noblat!), o Brasil inteiro via trechos das imitações e, naturalmente, identificava os participantes do jantar. Bastou isso para que as teses mais estapafúrdias fossem construídas e os analistas de vida alheia fizessem as mais exageradas avaliações. Quiseram grudar em mim a pecha de bobo da corte, como se eu fosse um animador de torcida dos poderosos. Dei de ombros e respondi pelo Twitter: "Ontem fui a um jantar árabe e hoje acordo com uma bela sobremesa. Agradeço a audiência que os súditos do presidente me deram. O rei está nu há meses, mas alguns ainda fingem estar vendo uma roupa messiânica. Fica a lição: se a vida te der um grão-de-bico, faça um *homus tahine*."

Teve até nota da Mônica Bergamo. Não fiquei mal na fita. Mas, embora muitos tenham gostado e entendido o espírito da coisa, outros tantos se dedicaram a julgar moralmente o incidente. Da estrebaria bolsonarista, saíram os pangarés de costume. Mas desses eu não esperava nada. Esperar o quê, por exemplo, de Abraham Weintraub, o menos educado dos nossos ministros da Educação, para quem a alfabetização é um luxo que pode muito bem ser dispensado. Do alto de sua baixeza, tuitou: "André Marinho não estava no jantar como bobo da corte! Ele estava lá sendo preparado. Ele é a próxima geração dos donos do Brasil. Nossos filhos e netos terão que chamá-lo de 'doutor' Marinho. Nossos filhos é que serão os bobos da corte, caso não mudemos essa república."

Ninguém sabe se a profecia weintraubiana se realizará. Não sei do meu futuro, mas sei do nosso presente: depois de sair do governo, o mesmo ministro agourento publicou outras coisas bem diferentes sobre aqueles que mudariam a República. Por exemplo, vazou nas redes um áudio em que ele dizia que, ao fazer alianças com partidos do Centrão, o presidente Jair Bolsonaro "transformou um sonho que a gente tinha, de mudança no país, em um pesadelo".

Pelo jeito, Weintraub quis poupar os filhos e os netos de serem os próximos bobos da corte. Assumiu para si a missão. Admito que com bastante sucesso.

Para minha decepção, de quem eu esperava mais, veio menos. Marco Antonio Villa, historiador e comentarista que admiro, foi um dos mais incompreensíveis. Crítico contumaz de Lula e Bolsonaro, tampouco seu ranço contra Temer é pequeno. Viciado no próprio azedume, o professor disse que foi uma "vergonha", que as minhas imitações foram "uma bobagem", que "o nível cultural era tão baixo que eles não tinham o que conversar, então, na hora de falar entre si, colocaram o rapaz, que supostamente imita políticos brasileiros e internacionais. Essa é a nossa elite rastaquera, que estava reunida na casa desse elemento que até foi preso. Tudo muito lamentável, vergonhoso, triste, acho que as pessoas ficaram envergonhadas em participar daquilo, provavelmente beberam demais e não sabiam que estavam sendo filmadas".

Talvez Villa precisasse beber um pouquinho mais para desarmar a própria inteligência e ser capaz de perceber o que deve ser percebido. Um jantar pode ser apenas um jantar.

Ele e outros não entenderam pelo menos duas coisas.

Primeiro, eu era convidado (acidental) de um jantar entre pessoas influentes e poderosas, sim, mas isso não desabona nem lança suspeitas sobre ninguém. Nem sobre mim, nem sobre eles. Eventos como aquele fazem parte da minha vida, porque meu pai fez a vida entre a mídia e a política. Como já disse mais de uma vez, se eu puder, aproveito mesmo todas as chances de conhecer pessoas, aprender com elas, aprender a não ser como elas. Meu trabalho, minha arte, depende disso. Nesse sentido, convém ressaltar, invocando uma das mais atemporais frases entre a pletora de frases produzida por Will Rogers, que foi um dos maiores humoristas americanos de todos os tempos: "É muito fácil ser humorista quando temos o governo inteiro trabalhando para nós."

Segundo, o bobo da corte, ainda que vulgarmente seja conhecido como alguém que se dedica a fazer os poderosos rir, na verdade era o artista que tinha permissão para fazer o rei rir, mas com um sutilíssimo detalhe: rindo-se dele. O bobo nunca foi bobo. Ao contrário, apontava as bobices em torno do poder. Dizia verdades a quem se acostumava a ouvir mentiras. Ridicularizava quem glamorizava a si mesmo. Apertava as feridas de quem se julgava imune à dor. O bobo, fazendo-se de louco, diz as coisas mais sábias, que nem sempre os sábios têm permissão de dizer. Protegido pela palhaçada, o bobo denuncia coisas bastante sérias, que não são abonadoras aos poderosos.

Dias depois, Michel Temer seria entrevistado no *Roda Viva* e falaria do assunto. Com o bom senso que lhe é peculiar, comentou que "aquele rapaz, o André Marinho, é muito competente. Ele fez umas dez imitações, entre as quais a minha. Confesso que, num dado momento, fechei os olhos e ouvi a minha voz, tamanha a perfeição com que ele se manifestava. Uma coisa impressionante. (...) O humor, o bom humor, é algo que deve presidir nossas relações, não é verdade?".

Fico feliz de saber que presidi alguma coisa. Porque o humor, o bom humor, é meu jeito de estar no mundo. É a nação da qual eu quero ser o presidente.

SEMPRE GOSTEI DAS VOZES de locutores de supermercado (Antônio Carlos, do Guanabara), narradores de futebol na rádio (José Carlos Araújo) e locutores de televisão (Dirceu Rabelo, da Globo). Pra mim, eram semideuses de um Olimpo vocal. Com o tempo, fui estudando e imitando.

Mas nada se compara à voz que mais me fascinou em toda a minha vida, e que fiz de tudo para aprender. Um anônimo, cujo rosto ninguém conhece, mas todo mundo ouvia: Don LaFontaine, o americano que gravou milhares de *trailers* de filmes e anúncios televisivos. Conhecido, não por acaso, como "The Voice of God", sua poderosa voz de barítono faz parte da minha mitologia auditiva desde que a ouvi pela primeira vez. Bastava ouvir o timbre soturno proferindo a expressão *"In a world..."* para que qualquer filminho, em qualquer mundo, gerasse imediato interesse.

No concorrido mercado da atenção, em que um minuto de *trailer* poderia significar a diferença entre a corrida para o Oscar ou a marcha para o esquecimento, a voz desse homem tinha o poder de salvar um filme. Falecido em setembro de 2008, Don LaFontaine é um dos meus grandes ídolos, referência máxima de uma habilidade que exige mais do que parece.

O talento natural em dublagem ou imitação é a porção menor de uma atividade que demanda trabalho quase fanático e, claro, um estranho tipo de amor ao sujeito dublado ou imitado.

Cresci assistindo a nomes como Pedro Manso, Marquinhos Baiano, Beto Hora, Marcelo Adnet, Frank Caliendo, Tom Cavalcante, Rich

Little, Fred Travalena, Dana Carvey e Jim Carrey. Especulo as causas desse fascínio que a imitação exerce nas pessoas. Acho que toca em questões básicas como identidade e reconhecimento de si. Em algum ponto da vida, todos nós nos fizemos a pergunta fundamental: *To be, or not to be, that is the question*. Investimos tanto na construção do nosso ego que nos assustamos quando ele é mimetizado por outra pessoa. É como um roubo que não lhe tira nada. Ainda não é crime, mas é terapêutico. Ao menos pra mim.

Embora a maioria das pessoas goste de se ver imitada, isso já deixou algumas das minhas "vítimas" constrangidas. O segredo é que, na maioria das vezes, os imitadores captam tiques que podem nem ser reais, ou que não aparecem com tanta frequência, mas são capazes de retratar tão bem um personagem que o público — e até o modelo retratado! — começa a acreditar que sim. Noutras palavras, eu reinvento e enfatizo uma determinada característica associada à pessoa de modo que ela própria se veja naquela distorção. E ela pode gostar ou não do que vê.

Por exemplo, ainda no *Pânico*, no quadro "Os Pintos dos Is",* fiz uma caracterização do jornalista Augusto Nunes. Entre grunhidos e expressões, consegui captar o jeitão dele. Nos corredores da rádio, as (sempre) más línguas garantiram que ele ficou irritado porque usei a palavra "narrativa" ao imitá-lo: "Eu nunca usei essa palavra!", grunhiu. O interessante é que, na retórica de Augusto Nunes, a palavra "narrativa" cai bem a ponto de pouca gente notar que ele não a usa.

Já quando imitei o Sergio Moro, modulando suas onomatopeias fanhas, domesticando seu raciocínio desconfiado, assimilando sua desajeitada retórica, ele protestou: "Eu não falo assim!" Menos de um

---

* Paródia do programa jornalístico *Os Pingos nos Is*, da própria Jovem Pan.

minuto depois, disse: "Agora estou falando igual a ele (rindo e apontando pra mim)." Ali, as pessoas começaram a acreditar que ele fazia aquilo o tempo todo. (Convenhamos, faz quase o tempo todo mesmo.)

O truque é este: abusar do uso. O imitador abusa do uso que o imitado faz de certas palavras, frases, expressões. Ou do timbre vocal, ou da expressão facial. A depender de quem seja, essa inflação sonora ou gestual pode ser mais ou menos exagerada. Mas, como um apelido, quando pega, pega. É tomar a parte pelo todo, ou o todo pela parte, reduzindo um ao outro.

João Doria e seu vocabulário anglófilo, sua pose de robô devotado à cientologia. Quando vai conversar com alguém, geralmente faz um preâmbulo quilométrico eivado de elogios ao interlocutor. Pois bem: você, ao imitá-lo, pega essas palavras —"aglutinar", "*benchmarking*", "*business venture*" — e as repete ou deriva à exaustão. Você estende os segundos iniciais em que ele elogia para minutos em que sufoca de elogios.

Fernando Collor gosta de expressões ou adjetivos um tanto arcaicos, que, por terem caído em desuso, soam inevitavelmente engraçados — e deliciosamente imitáveis: "pantomima" e "patuscada", "catilinária" e "cambalacho" são extensões naturais, como se fossem braços e pernas, da retórica bacharelesca e da postura irascível de Collor. É até covardia de tão fácil.

Ciro Gomes é outro desafio — fácil e difícil ao mesmo tempo. Uma das minhas realizações mais bem-acabadas. Fácil, porque ele é um homem cheio de notas marcantes, tanto físicas quanto emocionais. Difícil, porque ele mistura dialética enviesada com brutalidade incontida, alterna os timbres e descontrola os humores, fala de economia como se estivesse falando do mundo animal, discute política como se estivesse narrando um safári na África do Sul. Imitá-lo bem é uma tarefa complicada. Mas compensa.

Jair Bolsonaro, Donald Trump, William Bonner, Luís Roberto Barroso, Leda Nagle, tantos outros... o tempo de maturação varia, mas as técnicas e estratégias são semelhantes. São muitos os detalhes a serem considerados para que uma imitação soe fiel. E há, também, uma decisão a ser tomada (de caráter estético e, de certa forma, ético): a fidelidade será preservada, ou a imitação partirá para a caricatura? Penso, enquanto escrevo estas palavras, que são duas escolhas importantes, que levam a lugares diferentes e, não raro, opostos.

A imitação como "cópia" fiel do imitado tem um sentido preponderante de homenagem (se bem que, a depender do personagem real, ser retratado fielmente pode ser a mais dura crítica). Já a imitação como caricatura tem um sentido mais determinante de crítica. As soluções tendem a se misturar, mas o esquema (o meu esquema pessoal) parte dessas premissas.

Entretanto, precisamos considerar que há um texto a ser falado, que pode ou não ser escrito pelo artista da imitação, mas sempre será assumido e interpretado por ele. A depender do texto, a imitação colocará ênfase no que existe de positivo ou de negativo. O efeito provocado é de espanto e quase sempre leva ao riso. Seja pela captação meticulosa do timbre da voz ou dos trejeitos físicos, seja pela desconstrução retórica ou transbordamento emocional, o público reage bem à imitação. O imitado, nem sempre.

Essas considerações remetem a uma discussão mais geral, e cada vez mais importante, sobre a natureza e os limites do humor na sociedade.

A CERIMÔNIA DO OSCAR nunca mais será a mesma depois do tapa de Will Smith em Chris Rock. Todo mundo está mais careca que a Jada Pinkett Smith de saber o que aconteceu, mas não me custa sumariamente relembrar. Durante a tradicional apresentação que precede a entrega dos prêmios, em março de 2022 Chris Rock fez uma piada com a esposa de Will Smith, comparando-a à personagem de Demi Moore no filme *G.I. Jane (Até o limite da honra)*, que tem a cabeça rapada. Jada Smith sofre de alopecia, doença autoimune que provoca queda de cabelos. Will ria da brincadeira até que, de repente, parou de rir, dirigiu-se ao palco e desferiu um tapa no rosto do humorista. Rock, embora pasmado, contornou a situação, enquanto Smith, de volta à sua poltrona, gritava impropérios. Jada, ao canto, sorria.

A festa perdeu a graça. O mérito artístico foi esquecido ante o demérito moral.

O acontecimento tocou fogo na mídia e nas redes sociais e, como era de esperar, logo serviu de motivo para as mais complexas e simplórias manifestações. Sociólogos, semiólogos, psicólogos e especialistas em baixaria saíram de todos os bueiros, acadêmicos e não acadêmicos, para "refletir" sobre o assunto. Senti o cheiro daqui.

Nos Estados Unidos predominou a reprovação do gesto tresloucado de Will Smith. Eles têm mais arraigada que nós uma cultura de liberdade. Partem do pressuposto de que ser livre para se expressar é ser livre para expressar ideias inconvenientes, que nem sempre serão aceitas pela comunidade. O comediante, mais do que um engraçadinho, é um destemido soldado da liberdade geral de expressão.

Aqui no Brasil, país cada vez mais reacionário, por culpa da esquerda e da direita, o debate em questão foi radicalizado. O que importa, para certos grupos ou indivíduos, é preencher uma agenda, não admitir a realidade.

Em linhas gerais, argumenta-se que "há limites para o humor", ou seja, o humor, quando é ofensivo, deixa de ser engraçado e, principalmente, protegido pela defesa da liberdade de expressão. Merece ser respondido na porrada. Humor tem que ser bonzinho. Se ofender este ou aquele, mesmo que este ou aquele sejam milionários, influentes e façam parte do mesmo grupo social do ofensor, tem de ser proibido.

O problema é que a manifestação do humor é a manifestação em essência da liberdade de expressão. Não estou dizendo que nenhum limite deva ser considerado. Talvez deva. Mas o ônus da limitação é grande, o custo da interdição é enorme.

Isso vale para qualquer manifestação de humor. A favor ou contra um grupo político, mas também um grupo religioso, uma minoria étnica, uma característica física, uma orientação sexual, um padrão de comportamento.

O tristemente histórico episódio do Oscar não é caso isolado. A perseguição aos humoristas vem se tornando regra, não exceção.

Dave Chappelle foi acusado de transfobia porque fez algumas piadas sobre os órgãos genitais de pessoas trans em seu show para a Netflix, *The Closer*. Funcionários da empresa de *streaming* e estrelas do entretenimento ficaram indignadas com o comediante e propuseram boicote. Aliás, o que mais têm feito da vida as estrelas do entretenimento senão ficar indignadas em público? Deveria existir uma categoria do Oscar só para isso.

Bill Maher, o ácido apresentador da HBO, insuspeito de simpatias direitistas, em seu programa *Real Time* saiu em defesa de Chappelle: "Menos, gente, menos. Isso é mesmo tão difícil? Divirtam-se! Nem tudo é política."*

Amy Schumer, humorista de sucesso, mulher, gorda e judia, o que deveria encaixá-la em alguma minoria reconhecível a olho nu, diz ter recebido ameaças de morte — também em virtude de uma piada.

---

* O precedente aberto pelo "engraçadinho" Will Smith não tardaria a gerar efeitos. Dave Chappelle, pouco tempo depois, foi agredido no palco por alguém que, provavelmente, também não gostou de uma piada.

No Oscar 2022, ela brincou com a atriz Kirsten Dunst e seu marido, Jesse Plemons. Os fãs do casal, zelosos pela indissolubilidade do matrimônio, levaram um pouquinho a sério demais a brincadeira e resolveram meter a colher. Ou mais do que a colher. O serviço secreto americano chegou a entrar em contato com Schumer para informá-la de ameaças. Ela retrucou: "Acho que você ligou errado. Esta é Amy, não Will Smith." Tudo leva a crer que fazer humor hoje em dia tem sido mais repugnante que jogar bombas.

Por aqui, pouco tempo atrás, em abril de 2022, o humorista Fábio Rabin teve um show cancelado em Fernando de Noronha porque, antes da apresentação, um vídeo seu com piadas a respeito da ilha — "um paraíso não pode ser tão caro..." — circulou nas redes sociais. Isso, aparentemente, machucou a sensibilidade dos moradores do paraíso.

Anos atrás, Rafinha Bastos foi processado e condenado por ter feito, em 2011, no programa *CQC (Custe o Que Custar)*, uma piada ligeira com uma cantora grávida. Você sabe: aquela piada. Aquela cantora. Aquela gravidez. Deixo subentendido, porque não quero receber aquele processo. Rafinha pagou um preço altíssimo — literal e simbolicamente — por fazer o que é pago pra fazer.

No nosso país, talvez ninguém tenha uma ficha corrida mais extensa que Danilo Gentili, comediante e apresentador. Praticamente tudo o que ele fala ou escreve é alvo de manifestações de ódio — na justiça ou fora dela. Políticos e suas patrulhas o perseguem, mas seus pares no *show business* não deixam por menos.

À direita, o farisaísmo não é menor. O mesmo Danilo Gentili, que já foi queridinho dos bolsonaristas porque sempre criticou a esquerda, tornou-se alvo num filme que protagonizou com Fábio Porchat (uma acusação absurda de apologia à pedofilia, facilmente desmentida para quem assistisse às cenas).

Christian Lynch, cientista político, jurista e editor da revista *Insight Inteligência*, tuitou:

Nunca vi movimento político mais farisaico que o bolsonarismo. É corrupto pregando honestidade, pedófilo pregando valor familiar, assassino pregando direito à vida, fascista defendendo liberdade de expressão, preto defendendo racismo... É tudo às avessas; parece bloco de carnaval. Crente fazendo suruba, ministro da Educação analfabeto, militar traficando cocaína, liberal pregando ditadura, patriota defendendo o imperialismo, médico prescrevendo placebo... A lista não tem fim.

Fique claro que não se trata de gostar ou não de um determinado artista, o que seria compreensível, mas de não admitir que se faça humor de verdade — salvo um tipo de humor social e culturalmente aceito. Falando nisso, é notável como as manifestações mais extremas de humor, quando feitas pelas pessoas "certas" e destinadas contra os alvos "certos", não provocam a mesma revolta. A intolerância é seletiva. Escolhe a dedo cada um dos alvos. Distingue com cuidado o recorte ideológico. Soletra com precisão as siglas do partido.

Para citar apenas um exemplo entre tantos, a produtora Porta dos Fundos com razoável frequência dedica quadros, esquetes ou programas inteiros a esculhambar as crenças religiosas do público. Dos cristãos, em particular. O texto nunca é condescendente ou leve. É para provocar mesmo. Mas aí tudo bem. Quando são criticados por fiéis que se sentem ofendidos, rebatem com mais zoeira e invocam o direito à expressão e à crítica.

O leitor quer minha opinião sobre Gregorio Duvivier e companhia? Neste caso em específico, eles estão certos. Contudo, estariam ainda mais certos — e revelariam mais caráter — se defendessem os mesmos princípios para todos. Inclusive para aqueles de quem discordam ideologicamente.

Porque eu prefiro viver numa sociedade que tolere os abusos do humor a sobreviver numa tribo que cultive os usos da censura. Parece que sou mais "progressista" que os progressistas. Reparei que meu humor não tem vergonha de sair pela porta da frente.

O comediante é, mais do que nunca, temido. A sociedade parece querer banir o humorista. Direita e esquerda temem o poder corrosivo que a risada traz. Está em curso uma perseguição a quem é pago para ofender — porque tem de ofender mesmo! O psicólogo conservador canadense Jordan Peterson costuma dizer: "Para ser capaz de pensar, você tem de correr o risco de ser ofensivo."

Em tempos de sensibilidade aflorada, em que o vitimismo se tornou uma indústria bastante lucrativa, sentir-se ofendido compensa. Como constatou com precisão o apresentador e comentarista libertário americano John Stossel, "quando ofender-se virou sinônimo de poder, as pessoas começaram a se ofender mais facilmente". De repente, tudo dói.

Mais de cem anos atrás, o escritor inglês — e terrivelmente católico — Gilbert Keith Chesterton, que tinha senso de humor e de proporções, disse que *it is the test of a good religion whether you can joke about it*: o verdadeiro teste de uma boa religião é saber se você pode brincar com ela.

Sem levar um tapa na cara, obviamente.

CAPÍTULO 7
IDEAIS DE GENTE SEM IDEIAS

"As pessoas exigem liberdade de expressão para compensar a liberdade de pensamento que usam raramente."

SØREN KIERKEGAARD (1813-1855),
filósofo dinamarquês

A REPERCUSSÃO DO EPISÓDIO em que discuti (quer dizer: fiz uma pergunta que não foi respondida) com o presidente Jair Bolsonaro, na Jovem Pan, foi tão somente a exposição maciça de um tipo de mentalidade que já vinha atrapalhando minha vida no *Pânico*: o ódio orquestrado por alguns colegas e adversários ideológicos que, por sua vez, incitavam o público contra mim. Um deles, o boneco Constantino, não teve vergonha nenhuma de pedir publicamente minha demissão. Ele acredita que pedir a demissão de quem pensa diferente é a quintessência da liberdade de expressão. Deve ter sido alfabetizado em "novilíngua".

Os dias que se seguiram àquele fatídico dia, em que cumpri com as obrigações de quem, não sendo jornalista, tentava levar os princípios do jornalismo a sério, foram pedagógicos. A dissonância da minha voz, não afinada pelo diapasão do poder de momento, soou estridente demais aos ouvidos sensíveis daqueles que só querem ouvir o refrão da obediência ou os versos do oportunismo. Isso gerou ódio. Um ódio bruto, invulnerável, iliberal.

Não fui o primeiro, nem serei o último, a sofrer esse ódio. Ele é tão presente que seus cultores ganharam status. Um tipo de identidade. Estão por toda parte. No ecossistema das mídias sociais, esse novo tipo de fungo digital prolifera: o *hater*.

Pronuncio essa palavra e percebo, curiosamente, que em inglês o significado perde um pouco de sua força. Em português soa até mais brutal: o "odiador". O odiador é alguém que se dedica a odiar.

Tem gente que faz piada, constrói foguete, escreve livro, educa os filhos, investe na Bolsa, luta boxe, toca piano, pesquisa vacina, estuda equações, planta árvores, ajuda os pobres, enfim, faz qualquer coisa útil ou bela.

E tem gente que odeia, apenas odeia, como se isso bastasse, como se esse sentimento se transformasse numa atividade, num ofício, numa vocação mórbida.

O cidadão acorda, lava o rosto, escova os dentes, faz o café, chega ao trabalho, liga o computador e espalha um pouco do seu ódio por aí. Pensando bem, pela minha experiência e pela experiência do leitor, talvez a ordem descrita seja até otimista.

É mais provável que o *hater* acorde e, antes mesmo de lavar o rosto, escovar os dentes, fazer o café, ir ao trabalho e ligar o computador, aproveite as facilidades da telefonia móvel e espalhe seu ódio mundo afora.

Assim que abre os olhos, essa estranha figura precisa abrir o fígado e ofender, perseguir, xingar quem quer que seja o alvo da vez. Pode ser uma causa, uma marca, uma ideologia, uma ideia, mas quase sempre é uma pessoa.

Ele acredita que faz parte de algo maior, que seu ódio é apenas o efeito colateral de sentimentos mais profundos e até mesmo heroicos.

Ele está lutando contra os moinhos da ideologia alheia, está desembarcando na sua Normandia imaginária.

De maneira geral, pessoas públicas são as mais atingidas pelo ódio do *hater*. Mas não só elas. Anônimos também podem se tornar públicos e ter seus quinze minutos de má fama, caso alguma opinião "errada" entre no radar dos odiadores.

Mas se o ódio existe desde que o ser humano existe, e é uma das manifestações do pecado capital da ira, o que há de novidade nisso a ponto de merecer nossa atenção? A novidade é que o *hater* agora está em toda parte, não tem rosto, muitas vezes não tem nome, mas tem, infelizmente, os meios para se manifestar.

Penso que odiar seja, antes de tudo, uma decisão moral.

Você ocupa seus dias destilando ódio porque, afinal de contas, você quer. Porque é isso o que você tem ou quer oferecer ao mundo. O impulso de criticar quando não se gosta é forte. O ódio é um sentimento mais fácil de manifestar do que o amor.

O *hater* é um tipo social que reage por efeito manada. Ele percebe que outros estão apedrejando, então vai lá e apedreja. O anonimato coletivo incentiva o *hater* a atacar.

Esse fenômeno tem, inclusive, se convertido em atitude política. Ou antipolítica.

Centenas, milhares de *haters* — quando são humanos e não *bots...* —, se juntam para atacar ideias ou propostas de certo candidato, jornalista, intelectual ou artista.

Eleições estão sendo decididas com a força do ódio.

Empresas estão readequando suas marcas por causa do boicote do ódio.

Essa impressão de que os *haters* vieram para ficar nos tem feito procurar formas de adaptação, como se isso fosse agora parte legítima do debate público.

Tenho minhas objeções.

O *hater* não é vítima. Alguns casos muito particulares podem ter motivos que os justifiquem, mas, quase sempre, o ódio é puro, gratuito, voluntário. Para quem não precisa de motivos, tudo é motivo para odiar. O *hater* não constrói, porque construir pressupõe valores positivos. Construir é mais difícil. O *hater* quer facilidades. Destrói e não oferece nada em troca.

Do acúmulo de ódios à cultura do cancelamento é um pulo. Ou um clique.

A coisa é tão séria que, em 2019, o Dicionário Macquarie elegeu "cultura do cancelamento" como a expressão que melhor representou aquele ano.

Pelo jeito, infelizmente, também é uma das expressões que melhor representarão os próximos anos.

O cancelamento é mais do que o boicote contra empresas e marcas, figuras públicas e anônimas, eventos e grupos, livros e filmes, movimentos políticos, ideológicos e culturais.

É saudável para o debate público que certos personagens, empresas, ideologias, partidos sejam, antes mesmo de qualquer discussão, "cancelados"? O que isso diz sobre nós — e sobre quem porventura nos acuse?

Qualquer um pode ser instantaneamente julgado porque deu uma opinião, se comportou de certo jeito, escreveu um livro controverso, fez uma piada de mau gosto ou por razões que serão decididas na hora, no ato, no susto, a depender dos valores do momento. O problema é que os valores, especialmente no mundo virtual, mudam a cada momento.

Minhas opiniões de hoje podem não ser convenientes amanhã, mesmo que tenham sido perfeitamente aceitáveis ontem. E minhas opiniões de ontem podem não ser as de hoje. Talvez eu tenha mudado pra melhor. É possível que, anos atrás, algumas das minhas posições ou crenças tenham sido abandonadas. Trocadas por outras mais bem elaboradas. Por isso, ser julgado pelo que se disse anos antes é perigoso.

Aliás, eu disse que as pessoas são "julgadas"? Na verdade, ninguém é julgado, todos são punidos. Todos são cancelados.

Julgamento pressupõe acusação, defesa, um juiz legítimo e a previsibilidade das regras. O réu sabe do que está sendo acusado e conhece os códigos que transgrediu. Já o cancelamento equivale a um banimento civil, feito no mundo virtual, mas que tem gerado efeitos práticos na vida das pessoas.

Uma pessoa cancelada não tem suas opiniões debatidas ou rejeitadas, não tem seus erros compreendidos ou corrigidos. O cancelamento é a "expulsão" imediata de quem os emite.

Em 2013, o sociólogo Demétrio Magnoli, conhecido crítico das cotas raciais e estudioso do problema racial, foi impedido de falar numa mesa da Flica — Festa Literária Internacional de Cachoeira, na Bahia.

Um grupo de estudantes interrompeu o debate. Outra conversa, que teria o filósofo conservador Luiz Felipe Pondé como protagonista, também foi cancelada. De acordo com um dos promotores do evento na época, Emmanuel Mirdad, "a organização não conseguiria garantir a integridade física dos dois autores". Uma salva de palmas para os defensores da censura.

Na ocasião, Magnoli disse: "O grupinho que fez a baderna, que impediu o debate, eles imaginam que estão impedindo a minha liberdade de expressão, mas estão enganados, porque a minha liberdade de expressão está garantida. O que eles cerceiam é o direito das pessoas de ouvirem um debate, então eles estão contra as pessoas comuns, que vão ouvir um debate. Não estão contra o palestrante, embora eles imaginem que estejam."

Exatamente. Ao impedir um debate porque não se gosta de um autor ou palestrante, impede-se a circulação e a troca de ideias. Impede-se, sobretudo, a crítica às ideias consideradas ruins. Toda censura, seja imposta pelo Estado, seja imposta pela sociedade civil, presta um desserviço à democracia. A censura é uma tutela não solicitada. O censurador se coloca acima do povo.

De lá pra cá, as coisas só pioraram.

Muitos anos depois, já em 2022, Bruno Aiub, podcaster conhecido como Monark, seria transformado em inimigo público do Brasil num intervalo de poucas horas. Em seu antigo projeto, Flow Podcast, conduzido com seu então parceiro e sócio, Igor Coelho, o Igor 3k, Monark defendeu, numa discussão com a deputada federal Tabata Amaral, a ideia de que quaisquer partidos políticos deveriam ter o direito de existir. Inclusive o Partido Nazista.

Ele próprio não defendia ideias nazistas, mas, sim, o direito radical à liberdade de expressão — até mesmo a expressão de ideias nazistas. Antes de qualquer juízo de valor (já o farei), gostaria de considerar que essa defesa não é inédita. Cito dois exemplos.

Christopher Hitchens, escritor e intelectual britânico bastante influente nos Estados Unidos, falecido em 2011, foi um dos mais polêmicos e radicais defensores da liberdade de expressão. Faço questão de notar que ele não era exatamente um conservador. Em 2006, na Universidade de Toronto, ele debateu o tema: *"Freedom of speech includes the freedom to hate."* A liberdade de expressão pressupõe a liberdade de odiar. Ser livre é ser livre até para manifestar ódio, desde que não se transforme em ameaça concreta.

Outro caso ainda mais importante: Aryeh Neier, advogado judeu, foi um dos fundadores do Human Rights Watch.* Ninguém menos suspeito de simpatia nazista do que ele, certo? Pois é dele a defesa pública dos direitos humanos e, entre eles, da mais extrema liberdade de expressão que conheço. Ele e sua família fugiram da Alemanha e se instalaram nos Estados Unidos. Em 1977, em Skokie, cidade de habitantes predominantemente judeus, haveria uma manifestação em favor do nazismo. Neier viu-se obrigado a defender o direito dos manifestantes.

Autor do livro *Defending My Enemy: American Nazis, The Skokie Case and the Risks of Freedom* [Defendendo meu inimigo: Nazistas norte-americanos, o Caso Skokie e os riscos da liberdade], ele pondera: "A história é eloquente: a liberdade dos nossos inimigos deve ser defendida se quisermos conservar a nossa."

Sua lição não poderia ser mais clara — e corajosa: se hoje não defendo a liberdade de expressão de quem me odeia, amanhã alguém que me odeie terá argumentos para não defender minha liberdade de expressão.

Convenhamos, isso é mais forte e eloquente do que a atrapalhada discussão do podcaster Monark, que propôs um debate sem a seriedade necessária e sem levar em consideração todas as nuances. Além disso, o contexto importa. Sua ideia de fundo (liberdade de expressão radical) pode ser defendida, mas ele o fez mal, já que não estava falando de qualquer tipo de liberdade de expressão, mas da mais sombria de todas: a liberdade de expressar o ódio.

Quem pensa de maneira distinta, argumenta que o problema do nazismo é que ele não é a expressão de uma ideia errada, mas uma

---

* Fundada em 1978, a Human Rights Watch é uma organização internacional de direitos humanos, não governamental, sem fins lucrativos, cuja missão é defender os direitos de pessoas no mundo inteiro, investigar e denunciar detalhadamente as violações de direitos humanos — inclusive o da liberdade de expressão.

ameaça — que já foi concretizada — contra todo um povo. Quem defende que um povo seja eliminado, defende o genocídio. Quem defende o nazismo, defende a mais absoluta supressão de todas as ideias.

Discussões sociais como essas não são ciências exatas. Entre o extremo da liberdade de expressão, que pode representar a liberdade de expressar o ódio, e a interdição de qualquer debate, seguida de cancelamento, opto pela prudência. Cada caso é um caso e os princípios são importantes, mas não são absolutos. Aceito essa contradição, própria do debate público, e me disponho a aprender com ela.

MAS O CANCELAMENTO não atinge apenas influenciadores ou intelectuais que cometem gafes ao vivo. Até mesmo personagens e acontecimentos históricos podem ser exilados, proscritos, arrancados da memória social e cultural por pecados cometidos dez, vinte, cem anos atrás, numa espécie de "stalinização da memória": o apagamento do passado e o controle narrativo do futuro.

Pessoas comuns também sofrem com isso. E, se parece razoável condenar manifestações racistas, fascistas, homofóbicas, misóginas, xenófobas e similares, nem sempre é fácil identificar corretamente essas atitudes. Às vezes, enganos podem ser desastrosos. Irremediáveis.

São muitos os casos. Um deles, que me chamou a atenção, aconteceu em junho de 2020. Emmanuel Cafferty, um americano de 47 anos, voltava para casa depois de uma longa e exaustiva jornada de trabalho. Durante o trajeto de caminhonete, num dia de muito calor, ele fazia um gesto que lhe era habitual: com a mão esquerda para fora, estalava os dedos repetidas vezes.

Ao passar por outro carro, o motorista começou a buzinar furiosamente e a proferir ofensas. Cafferty não entendeu nada, até que, horas depois, recebeu uma ligação de seu empregador. Fotos suas, tiradas por aquele motorista, denunciavam um gesto supostamente usado por supremacistas brancos. Era o gesto que ele fazia, distraidamente, na viagem de carro. Um gesto inocente de estalar os dedos.

Colegas de trabalho foram à casa dele e levaram o computador e a caminhonete da empresa. Dias depois ele estava demitido.

Emmanuel Cafferty é filho de imigrantes mexicanos, não cursou faculdade e vivia sua modesta versão do sonho americano. O tribunal das mídias sociais instantaneamente decretou que ele era culpado de racismo, ainda que, algum tempo depois, o próprio autor da foto tenha admitido à emissora NBC que talvez tenha... "exagerado na interpretação do gesto".

Cafferty sofre de crises de ansiedade e faz terapia desde o episódio. Os santinhos que participaram do apedrejamento simbólico puderam exibir com orgulho a bijuteria barata de suas virtudes e, tenho certeza, vivem as respectivas vidas com a consciência tranquila.

A CULTURA DO CANCELAMENTO é irmã mais nova de outros dois fenômenos bastante controversos: o identitarismo (lugar de fala) e o politicamente correto (controle da linguagem).

O identitarismo se opõe à conquista da individualidade. É uma ideologia coletivista, com apelos tribais, que na prática anula a identidade concreta do indivíduo em favor de uma pseudoidentidade, agora compartilhada. Um sujeito não é mais o que é, mas o que representa para um certo movimento, que guia (ou impõe) suas ações no mundo. Essa disposição, além de sufocar as distinções entre indivíduos em nome de semelhanças às vezes forçadas, cria também um forte sentimento de oposição. Se pertenço a uma certa identidade compartilhada (racial, étnica, de gênero), isso significa que o outro, que não pertence, é meu inimigo.

Por isso, o identitarismo, que alega proteger comunidades ou grupos da violência social, acaba por acirrar ainda mais os ânimos entre comunidades ou grupos diferentes, que poderiam conviver tranquilamente, mas são estimulados a dar mais atenção ao que divide do que ao que une. O mais curioso é que as divisões e subdivisões são tantas que já há conflitos entre eles. Como observa o autor britânico Douglas Murray, "contrariamente às alegações dos defensores da justiça social, essas categorias não interagem bem umas com as outras".

Isso se manifesta na ideia de lugar de fala, em que o sujeito pertencente a determinado recorte social, ou que tenha vivido determinadas experiências, não admite que seus valores sejam discutidos publicamente, porque são, por assim dizer, exclusivos a ele. Propriedades dele. É uma carteirada ideológica e moral.

Aos poucos, a delimitação de identidades e lugares de fala se converte ao politicamente correto, verdadeira praga ética e linguística que, a despeito de suas boas intenções, foi aos poucos tomando conta de toda conversação e assumindo o controle dos usos da língua, num sentido claramente censório.

Os defensores do politicamente correto acreditavam (supondo sua sinceridade) que a troca de termos, palavras ou ditados poderia amenizar, ou até mesmo renovar, os alegados preconceitos subjacentes a eles. Essa é a teoria. A aplicação descambou numa sanha persecutória sem precedentes, em que a linguagem é sequestrada e torturada até que confesse crimes que ela não cometeu.

O efeito colateral desses movimentos é a apropriação do debate ético, das pautas progressistas e liberais, e a exclusão de quem porventura tenha opinião diferente.

Às vezes, sim, tal opinião não será "diferente" — será desprezível mesmo. Mas outras vezes será apenas a opinião que a hegemonia progressista nas universidades, editoras e redações de jornal não querem ler ou ouvir.

Gad Saad, no livro *A mente parasita*, denuncia o que chama de "patógenos parasitários da mente humana", ou seja, os padrões de pensamento e comportamento, as ações e reações, os comandos e as interdições que acharam uma brecha para entrar na corrente do Ocidente e intoxicar o organismo liberal para comê-lo por dentro. Destruí-lo. Anulá-lo.

A doença tem cura, mas já "matou" milhões de mentes — ou ideias.

O grande advogado americano Alan Dershowitz, também judeu, sofre com essas injustiças e as denuncia em seus livros.* Ele foi acusado de estupro e, mesmo tendo provado, sem margem para dúvidas, que nem sequer estava nos locais onde teriam acontecido as relações abusivas — e mais: que o advogado da vítima admitira que o crime não poderia ter ocorrido —, ainda assim é tratado por grande parte da *intelligentsia* progressista como culpado.

Como ele mesmo diz, "a acusação tornou-se condenação", a despeito de provas, indícios, confissões em contrário. Isso é a exata inversão do que de melhor o Ocidente inventou da Idade Média em diante: a presunção de inocência, o devido processo legal, as garantias fundamentais e, enfim, a liberdade de expressão.

Hoje, a depender de quem são os juízes e os réus da cultura pós-modernista, você é culpado, até prova em contrário. Pensando bem, você é culpado, mesmo que prove o contrário.

Um outro ponto a ser discutido é o seguinte: Quem julga os juízes? Quem elege os cancelados e se elege como o cancelador? Por que algumas figuras nunca são canceladas?

---

* *Cultura do cancelamento: A liberdade sob ataque* e *Guilt by Accusation: The Challenge of Proving Innocence in the Age of #MeToo* (sem edição em português).

Recentemente, tem ganhado destaque a organização conhecida como Sleeping Giants. De origem americana, a filial brasileira é bastante atuante. Mas... seletivamente atuante.

Os ativistas Leonardo de Carvalho Leal e Mayara Stelle elegeram-se fiscais da virtude no debate público, estimulando o boicote a empresas, marcas e até mesmo jornalistas que, de acordo com os seus critérios, disseminam *fake news*, preconceito, ódio e muito mais.

Mas basta acompanhá-los com alguma paciência e você descobrirá que seus alvos são muito parecidos entre si. Ou seja: o Sleeping Giants dorme no ponto quando as *fake news*, os elogios a ditaduras e os valores reprováveis são feitos no espectro da esquerda.

A quem me pede uma definição política, ofereço a seguinte equação: meu conservadorismo nasceu das colisões com os progressistas nas salas de aula e nos *campi* em que estudei, e meu liberalismo realista foi resultado da convivência com reacionários e idólatras após as experiências na campanha de 2018 e na Jovem Pan. Não foi difícil perceber que há mais em comum entre os dois lados do que eles acreditam. Por exemplo, o moralismo de goela, a virtude de atacadão.

Isso tem nome, e é geralmente associado à esquerda pós-moderna (ou pós-seja lá o que for): em inglês, *wokeism*. Numa interpretação ligeira, a geração *woke* é — ou tem a pretensão de ser — proprietária de toda e qualquer manifestação de consciência social que se preze. Só seus adeptos sentem as dores do mundo. Só eles se indignam com o sofrimento das minorias. Só eles choram as lágrimas da injustiça. No papel é bonito, mas na vida é, quase sempre, censura, perseguição, hipocrisia. Em vez de virtude, sinalização. Ética para mostrar no intervalo do Super Bowl.

Sabemos que direita e esquerda merecem a mesma energia no escrutínio: lulistas e bolsonaristas, psolistas e tucanos, assombrações do MDB e testemunhas do Partido Novo: todos, sem exceção, têm esqueletos no armário.

O fato é que cancelar virou nosso entretenimento coletivo. É o enforcamento público da reputação alheia, o pão e circo de uma sociedade feita de gente que não hesita em apedrejar antes e perguntar depois.

Penso que, cada vez mais, precisaremos de uma reeducação para a cultura.

Algumas iniciativas nesse sentido geram alento.

Niall Ferguson, historiador britânico, sua esposa Ayaan Hirsi Ali, ativista e escritora de origem somali, Peter Boghossian, filósofo americano, e Kathleen Stock, filósofa feminista britânica, são alguns dos fundadores da nova Universidade de Austin, no Texas.

De acordo com Ferguson, a proposta é que a universidade seja um espaço verdadeiramente livre de debates de ideias, sem restrições que não as legais nem temores de cancelamentos e represálias. Serão bem-vindos todos os que se dispuserem a discutir, não importa se de direita ou esquerda, se progressistas ou conservadores.

Essa, afinal de contas, é a missão da universidade. Gosto de lembrar, com Roger Scruton, que a civilização não é um dado da natureza, uma condição genética da espécie, um milagre divino.

A civilização é uma conquista, um artefato frágil, um fruto a ser cultivado diariamente. Precisamos reafirmar, todos os dias, os valores da cultura contra os da barbárie. Os *haters* são muitos, mas não são todos. Precisamos aprimorar a comunicação, refinar o diálogo, construir argumentos. Fazer dos argumentos pontes. Isso demanda esforço, constância, propósito, mas vale a pena. É uma questão de vida ou morte cultural.

De minha parte, estou — e sempre estarei — disposto a defender meu direito de expressar minhas opiniões, mas, principalmente, no espírito daquela citação apócrifa atribuída ao filósofo francês Voltaire — estou disposto a defender o direito alheio à sua própria opinião.

CAPÍTULO 8
A POLÍTICA COMO ENTRETENIMENTO

"No momento em que se injetar
verdade na política, acaba a política."

WILL ROGERS (1879-1935),
comediante e ator americano

MEU INTERESSE POR comunicação política vem de cedo. Talvez cedo demais... A propensão à arte me levou a ver campanhas eleitorais e debates entre candidatos como um espetáculo teatral, às vezes de comédia, às vezes de tragédia, quase sempre uma mistura dos dois. E uma boa dose de farsa em meio a tudo.

O surgimento do YouTube facilitou a vida dos estudiosos. Um vasto e crescente acervo de discussões, entrevistas e confrontos saltou dos arquivos das emissoras para a casa das pessoas. Para um viciadinho em política como eu, foi uma bênção geracional.

Lembro-me de que os primeiros debates a que assisti e estudei foram os de John F. Kennedy *versus* Richard Nixon, em 1960, e o confronto entre Fernando Collor e Lula, no segundo turno de 1989. Momentos históricos dos respectivos países e que fazem parte da minha história desde então.

Havia ali uma espécie de mística, da política como tragédia, que capturou minha imaginação e suscitou em mim quase um deslumbramento. Dois políticos discutindo não são apenas dois políticos discutindo. São os dentes da engrenagem do poder se movimentando.

Protagonistas e coadjuvantes (nem sempre talentosos) com suas tramas e tramoias, seu arco narrativo e suas reviravoltas (nem sempre bem escritos), seu caldo de cana e seu pastel de feira, sua ascensão e sua queda. Quase um *reality show*. Pensando bem, um *reality show* mesmo, sem o quase, que acontece a cada dois anos.

Ora, mal ou bem, estamos falando da realidade. Esses personagens decidem — ou decidirão — o preço do combustível, a taxa de juros, a orientação diplomática, os acordos comerciais, a relação com a mídia, o investimento em segurança, o programa da educação.

Numa corrida eleitoral, você se depara com pessoas que nunca viu na vida, às quais não tem acesso, e faz uma escolha a partir de uma quantidade não muito adequada de informações. É mais uma questão de identificação e representação do que de ponderação política ou racionalidade estratégica. É mais *storytelling* e jornada do herói que números e política pública. É mais pão e circo que reforma da Previdência.

Com o surgimento e a popularização dos aparelhos de televisão, primeiro nos Estados Unidos e depois no resto do mundo, a tendência a ver a política como subgênero do entretenimento de massa ganhou força. O público adorava ver os políticos serem tratados como heróis ou vilões. Os políticos, fossem heróis, fossem vilões, adoravam que seu público os tratasse assim. Os Kennedy, por exemplo, viveram como se estivessem atuando.

John Fitzgerald Kennedy e sua oblíqua mulher, Jacqueline "Jackie" Kennedy, fizeram do glamour sua política pública. Bonitos e carismáticos, eram bajulados pela mídia e mantinham relações cordiais com jornalistas poderosos membros do *rat pack* (apelido dado a um grupo de artistas populares entre as décadas de 1950 e 60), que apareciam sem muita cerimônia. E se Frank Sinatra, Dean Martin e Peter Lawford achavam os Kennedy divertidos, interessantes e agradáveis, então o povo os veria assim.

Mas a popularidade de Kennedy não se baseava apenas no que havia de cinematográfico em sua vida. Ele tinha méritos reais, que soube capitalizar no imaginário do eleitor americano. Veterano da Segunda Guerra Mundial, sobrevivera a um ataque da Marinha Imperial Japonesa, no oceano Pacífico, em 1943.

Herói de guerra com jeito de herói de cinema, ele encarnou o espírito progressista, cosmopolita e otimista a que todo americano ansiava na década de 1960. O mundo mudava e a classe média queria acompanhar essas mudanças. John F. Kennedy as representava como ninguém.

A geração mais jovem queria enterrar as memórias da guerra e da recessão. O rock surgia como linguagem musical. A televisão hipnotizava a audiência e transformava o país num grande palco. JFK percebeu antes de todos o que estava por vir, e converteu a atenção das massas em *commodity* eleitoral.

O célebre debate com Richard Nixon, em 1960, diante de mais de 70 milhões de telespectadores, foi um *turning point* daquela disputa. Não por causa de argumentos ou números, propostas ou acusações, mas pela própria forma de apresentação. Com a comunicação televisiva, o embrulho passou a valer mais que o presente.

Roger Stone, estrategista e consultor americano que anos depois seria um dos grandes responsáveis por "traduzir" Donald Trump para o eleitorado republicano, registrou em seu livro *Nixon's Secrets: The Rise, Fall, and Untold Truth about the President, Watergate, and the Pardon* (2014) ["Segredos de Nixon: a ascensão, queda e verdade não contada sobre o presidente, Watergate e o perdão", em tradução livre], as impressões daquele momento:

Quando John Kennedy chegou a Chicago para o primeiro debate presidencial da eleição de 1960, não passou a tarde inteira se preparando exaustivamente, trancado numa sala com assessores, como seria de esperar nos momentos que antecedem um acontecimento político dessa magnitude. Ele optou, sim, por gastar aquelas horas deitado em uma espreguiçadeira no *rooftop* do hotel, pegando sol ao lado de duas voluptuosas garotas de programa. Kennedy teria tido uma sessão de quinze minutos com uma das moças em sua suíte para relaxá-lo. Quando entrou nos estúdios da NBC para o debate, o jornalista Theodore H. White escreveu: "Ele parecia um semideus bronzeado." O produtor da emissora CBS Don Hewitt disse: "Kennedy chegou corado, esbelto, esguio, com um terno escuro sob medida... ele parecia um Adônis." Já Nixon chegou atrasado a Chicago, aparentando estar cansado, abatido, lazarento, abaixo do peso após um tratamento no joelho e famosamente recusou passar maquiagem. Ele também apareceu portando um terno cinza-claro que mais parecia um saco de batata. JFK projetava estar sadio e confiante. Nixon estava pálido e abalado. Ao final do debate, a declaração do então prefeito de Chicago, Richard Daley, de que Nixon "parecia ter sido embalsamado mesmo antes de morrer" refletiu perfeitamente a impressão geral que permaneceu com a mastodôntica audiência nacional daquele debate. Para David Halberstam, jornalista vencedor do prêmio Pulitzer, a única coisa que realmente importava naquele debate era "a aparência deles. Todas as inseguranças, dúvidas e tensões internas do Nixon foram escancaradas através de seu rosto encharcado de suor produzido pela luz brutalmente quente das câmeras". Aquele debate mudou a percepção do eleitorado por completo. O público americano iniciava naquele período histórico sua fixação por televisão, e televisão é tudo sobre imagem, não sobre substância.

Naqueles anos, política e entretenimento se aproximavam, se conheciam, se cortejavam, e as fronteiras entre uma e outra estavam prestes a se confundir.

Por essas e outras, eu me surpreendo com quem ainda se surpreende quando figuras como Bolsonaro ou Trump são eleitas, já que, até certo ponto, ambos usam dos mesmos artifícios de que lançaram mão Lula e Obama, que, por sua vez, estudiosos ou não, usaram truques conhecidos por Collor e Clinton, por Jânio Quadros e Ronald Reagan, por JK e JFK, e assim sucessivamente, desde que Caim e Abel disputaram a atenção e a preferência do Criador (para quem não sabe, cuidado com o *spoiler*, a disputa foi vencida por Abel).

Fernando Collor, o "caçador de marajás" que "tinha aquilo roxo" e prometia "vencer a inflação brasileira por *ippon*" foi um fenômeno eleitoral que ninguém explica direito. Vocabulário gorduroso e postura jovial, seduziu muita gente com uma plataforma política vaga, sugestões de abertura comercial, mas, principalmente, bom aproveitamento da imagem. De repente, o Brasil rejuvenescia na figura do galã de cinema, sedutor como um Bruce Wayne das Alagoas, disposto a estender a mão aos "descamisados e pés-descalços" que lhe estendessem o voto.

O primeiro neopopulista depois da ditadura militar. Nesse sentido, algo nele inspirava tanto o povo simples, que gostava de ver sua figura altiva, esbelta e confiante, quanto parte considerável da elite, que confiava em seus propósitos de abertura econômica, ainda que com algum tempero autoritário sobressaindo na receita.

Seus embates com o então metalúrgico Luiz Inácio Lula da Silva foram aulas de controle narrativo e uso da imprensa. Menos sucesso ele teve durante o mandato, com a acentuação do tom sebastianista misturada às trapalhadas econômicas e as suspeitas de corrupção. O primeiro presidente eleito diretamente pelo povo depois da reabertura foi também o primeiro presidente a sofrer processo de *impeachment* pelo Congresso.*

São poucas as vezes em que eleições são disputadas em torno de ideias — e ainda mais raras as vezes em que são vencidas em virtude delas.

Ministro e sucessor de Itamar Franco, Fernando Henrique Cardoso e sua equipe participaram do processo de estabilização econômica iniciado por Franco e, em seguida, viabilizaram um país moderno com o Plano Real. Deu certo eleitoralmente, o que é um milagre. O sonho de uma noite de verão da racionalidade administrativa foi um momento único: um plano de governo encontrou uma intenção de voto e foram felizes por oito anos. Mas, em regra, os populistas costumam prevalecer.

Em *O mito do eleitor racional: por que as democracias escolhem políticas ruins* (2007), o economista americano Brian Kaplan disserta sobre como grande parte do eleitorado tem pouca instrução a respeito dos problemas econômicos e jurídicos mais graves, mas, ainda assim, faz um cálculo político-eleitoral bastante consistente e racional. O que isso quer dizer? Que o eleitor avalia, pragmaticamente, os benefícios palpáveis de uma candidatura. Se a economia melhora, esse eleitor sente: os preços caem, o dinheiro circula, o poder de compra aumenta. Isso é

---

* Só para constar: Carlos Luz e Café Filho também foram impedidos de assumir o governo, mas seus processos não são considerados processos formais de *impeachment*.

racional e ao mesmo tempo arriscado, porque a melhora atual pode ser efeito de uma política econômica ruim a longo prazo. Essa negociação entre benefícios presentes e malefícios futuros define muita eleição. Populistas apelam às necessidades urgentes, que de fato existem, mas ignoram ou descuidam das necessidades futuras, que cobrarão a conta. Essa equação precisa ser explicada com muito cuidado.

O Brasil é o reino dos populistas. Por isso, aqui, até os membros da elite fingem que vieram do povo, que entendem o povo, que pelo menos já ouviram falar no tal do povo. Fortemente oligárquico, o país se traveste demagogicamente nos anos eleitorais. Do mercado de ações ao mercadão municipal, todo candidato faz sua romaria para trocar promessas por intenções. A lógica é a mesma dos Kennedy, mas a diferença é que nós temos os Sarney.

Num sentido mais profundo, as relações políticas são relações pessoais. E, se é verdade que sempre existiu um componente de espetacularização na política, por meio de *jingles*, suvenires, bordões, gestos, apelos, também é verdade que nos últimos anos, depois da internet e com o aparecimento das redes sociais, o fenômeno da mediação entre político e povo, entre candidatos e eleitores, mudou radicalmente. A linguagem é nova e a abordagem é outra.

Não se trata agora de misturar entretenimento com política, para chamar a atenção e se diferençar, mas transformar a própria política num gênero do entretenimento — da campanha eleitoral ao exercício do mandato. A identificação entre candidatos e eleitores, governantes e governados, depende cada vez mais de componentes estéticos, elementos teatrais, engajamento digital.

São estilizações de gosto duvidoso para consumo rápido, são figurinos cenográficos para descarte imediato. A arte, quando usada na política, é rótulo. A música, quando usada na política, é de elevador.

A mentira rege a política desde que o mundo é mundo. Vou além: a verdade nunca foi importante para a política, mas a forma como a sociedade interage e aceita a mentira revela que estamos irreversivelmente na era da pós-verdade. Os fatos não importam mais, e sim a interpretação deles com o intuito de atribuir credibilidade ao nosso viés político partidário pessoal. Como diria Nelson Rodrigues: "pior para os fatos". A polarização agradece.

MAS, QUANDO SE TRATA de vencer uma eleição, o único pecado que não tem perdão é a chatice. Pouca gente tem tempo ou paciência para ouvir tecnicalidades econômicas ou jurídicas saídas da boca de um burocrata. Gente gosta de quem se pareça com gente. Por isso, o apelo às emoções. Por isso, a ênfase nos fins, sem o tédio dos meios.

Richard Nixon, que não era exatamente um exemplo de bom-mocismo televisivo, dizia que "na política, a única coisa pior que estar errado é ser chato". Penso nessa frase quando me lembro da pífia construção da (zzzzzz...) "terceira via" no Brasil. Tenham ou não propostas, tenham ou não razões, falta-lhes o que sobra a Lula e a Bolsonaro: capacidade de comunicar até os mais inacreditáveis disparates. "Repare bem", como diria o caríssimo Ciro Gomes, que não estou aqui concordando ou discordando com tudo. Estou dizendo a política como ela é.

Winston Churchill certa vez notou que o caráter de um líder político pode ser avaliado pelo frenesi de sua campanha eleitoral. Campanhas não mentem. Um candidato confiante, resoluto e organizado usará essas qualidades para governar. Um candidato avesso a riscos, desorganizado ou intelectualmente preguiçoso governará com os mesmos defeitos.

Candidatos que são muito sedentos de poder, e incapazes de esconder essa falha, com certeza trarão essa obstinação obsessiva para qualquer cargo público que vierem a exercer. Candidatos que têm um retrospecto comprovado de habilidades e destrezas em outros ramos profissionais, antes de entrarem na política, e não suplicam por cargos ou almejam posições políticas para serem bem-sucedidos, geralmente produzem os melhores líderes.

O sucesso do palhaço Tiririca, deputado federal mais votado nas eleições de 2010 e precursor de outro palhaço que vocês sabem quem é, não foi menos escandaloso que o êxito de um Silvio Berlusconi, ex-primeiro ministro da Itália e dono de quase toda a televisão comercial de seu país, além do futebol. O magnata italiano governou como se não houvesse distinção entre os shows da TV e os shows da política. A Itália teve ainda Beppe Grillo, desbocado comediante, idealizador do movimento "Cinco Estrelas", que fez parte do governo de coalizão e propôs o "Vaffanculo-Day" (V-Day, para os íntimos), que, traduzindo para o castiço português, seria "O Dia de Tomar no Cu". Sua intenção era denunciar as falcatruas no Congresso. Temos exemplos semelhantes na Guatemala, com Jimmy Morales (que virou presidente depois de ficar conhecido como ator de comédias guatemalteco), e também Jón Gnarr, na Islândia, país que se notabiliza por não ser a Finlândia, também ator cômico, fez piada ao propor uma Disneyworld no aeroporto ou ter um urso-polar no zoológico. Foi eleito prefeito da capital Reykjavík. Até na Índia, meus amigos, minhas amigas e demais indecisos, tivemos Bhagwant Mann — um cômico que resolveu levar sua graça e seu turbante ao ministério de Punjab, estado vizinho do Paquistão, país não exatamente amigável, que tem mais ogivas nucleares que humoristas. Impressão geral: ninguém leva o humor a sério.

A política é circo em quase todo lugar do mundo.

Décadas atrás, o ator Ronald Reagan encarnou seu melhor personagem como presidente dos Estados Unidos.

Mais adiante na história, Barack Obama adaptou a retórica clássica ao uso em larga escala da internet.

Donald Trump subverteu esse uso a algo próximo do dadaísmo.*

Jair Bolsonaro se aproveitou do marketing de guerrilha mais por limitação que por inteligência.

Boris Johnson provou da pior forma possível que não há fanfarra política que se sustente, condizente com a passagem bíblica em Provérbios, 16:18: "A soberba precede a ruína, e a altivez do espírito, a queda."

E, por fim, Volodymyr Zelensky, presidente da Ucrânia, percorreu a inacreditável jornada do humor à guerra.

JÁ CONTEI AQUI que tenho em Ronald Reagan, o quadragésimo presidente dos Estados Unidos, um grande ídolo.

Logo no lançamento de sua candidatura ao governo da Califórnia, em 1966, ele veiculou um programa de meia hora com pesadas críticas ao crescimento estatal dos Estados Unidos, que apelidou, muito convenientemente, de "Big Brother".

Pat Brown, governador democrata, que derrotara Nixon em 1962, deu risada. Achou que fossem favas contadas. Fez gozações e infindáveis referências ao filme *Bedtime For Bonzo*, comédia medíocre protagonizada por um chimpanzé, que tinha o seu adversário republicano como coadjuvante, nos anos 1950. O problema é que o humor de Brown não era o humor dos californianos, especialmente os do Sul, que preferem rir com os artistas a chorar com os políticos.

---

* Movimento artístico liderado pelas vanguardas europeias do século XX, que hasteava o mantra: "A destruição também é criação." Foi tido como o movimento que promoveu o surrealismo e tinha um caráter antilógico, irracional e de contestação.

Reagan tirou de letra: "Você já ouviu falar muito sobre minha falta de experiência em cargos públicos. Mas, às vezes, se você quer um trabalho bem-feito, talvez seja melhor escolher alguém que ainda não descobriu tudo o que você não pode fazer ao chegar lá!" O público adorou. Moral da história: por não ter experiência, vou tentar o que ninguém tentou. Minha imaginação não está cansada.

Esse tipo de giro retórico, muito característico de Reagan, deu a ele quase um milhão de votos de vantagem. Venceu e convenceu. Mais do que isso, estabeleceu um jeito diferente de fazer o que se fazia. Outras vitórias confirmariam seu domínio dos efeitos cômicos, estéticos e emocionais da política.

Anos mais tarde, após a vitória acachapante de Reagan na reeleição presidencial em 1984, Pat Brown, o primeiro grande adversário, se rendeu: "Nós, democratas da Califórnia, decididamente o subestimamos como político e como líder." Cometeriam o mesmo erro com Donald Trump.

Reagan, mais do que ser presidente, soube se *mostrar* presidente. Fotogênico e sorridente, o "grande comunicador" exalava um otimismo muito americano. Como se tudo fosse possível — até o impossível. Sua postura — tanto quanto seu terno, cortado por Frank Mariani, seu alfaiate pessoal de Beverly Hills — era feita sob medida para as telas. A política, vocês sabem, é a arte de ser o que se é, mas também de parecer o que se é. Um conhecido provérbio romano já dizia: "À mulher de César não basta ser honesta; deve parecer honesta..."

BARACK OBAMA PODE ter sido o que chamarei de "modelo de transição". Sua postura, sua entonação, seu vocabulário são os de um orador bem treinado, inegavelmente talentoso, mas até certo ponto convencional. O que sua campanha fez de diferente foi perceber que, com alguma calibragem, a retórica sofisticada poderia mobilizar a crescente audiência na internet.

Discute-se qual é o verdadeiro potencial das mídias sociais na construção de uma candidatura. Elas confirmariam ou criariam tendências? O voto neste ou naquele candidato é produto da interação online, ou é somente a exposição de um voto já decidido antes?

Embalados pelo slogan "Yes, We Can", entoado fanaticamente pela militância, e blindado pela ala progressista da mídia, que fez vista grossa ao seu passado controverso, Obama e sua equipe entenderam muito bem que o novo eleitor é um colaborador, um criador de conteúdo.

O tempo das campanhas passivas, transmitidas pela televisão e pelas rádios, em que o eleitor-receptor espera ser informado pelo candidato-emissor, havia acabado. Com isso, o sentimento de identificação e de representatividade foi ampliado para o de participação e responsabilidade. A conexão online, ainda que mediada, dá a sensação de proximidade. Essa proximidade é convertida em engajamento. O engajamento dá votos.

Ironicamente, Obama veria Donald Trump levar ao estado de arte sua "descoberta". Michael Moore, notório diretor e ativista de esquerda, famoso por *Fahrenheit 9/11*, um dos documentários de maior bilheteria de todos os tempos, que critica severamente a gestão de George W. Bush na guerra do Iraque, observou que, se é para eleger um presidente-celebridade, os democratas — a rigor, os "donos" de Hollywood — poderiam ter lançado Oprah Winfrey, Tom Hanks ou Dwayne "The Rock" Johnson. "Por que não? Os republicanos tiveram sucesso com Reagan e Schwarzenegger."

O jargão *The left can't meme* traduz bem uma verdade da política como entretenimento: a esquerda não sabe fazer memes. Na melhor das hipóteses, ela participa dos memes como criatura, não como criador.

Por mais de um motivo, é a direita que sabe manusear as ferramentas linguísticas do mundo virtual. Enquanto nos Estados Unidos os progressistas *woke* tomam cuidado para não ofender a sensibilidade de ninguém — dos habitantes da Groenlândia ao asteroide que extinguiu os dinossauros, no Brasil, Lula e sua trupe são monoglotas: só conhecem o idioma do lulismo.

A propósito, quando tanta gente dava como certa a derrota de Trump, Moore, o esquerdista que tinha as lentes da câmera e os olhos da inteligência abertos, vaticinou:

> Trump está dizendo as coisas para as pessoas que estão sofrendo, é por isso que todo trabalhador derrotado, sem nome e esquecido, que costumava fazer parte do que era chamado de "classe média", ama Trump. Ele é o coquetel molotov humano que eles estavam esperando. A granada que eles podem jogar no sistema que roubou sua vida. Eles perderam tudo o que tinham, exceto uma coisa, a única coisa que não lhes custa um centavo e lhes é garantida pela Constituição americana: o direito de votar. A eleição de Trump será o maior "F**k You" já registrado na história da humanidade.

Já contei aqui, mas vale relembrar. Eu estava em Manhattan em 2015, meses antes do anúncio da candidatura de Trump. Estudava num cubículo no subsolo da Elmer Holmes Bobst Library, a biblioteca principal da New York University. Pesquisava, distraído, navegando no YouTube, quando encontrei um discurso do pensador e comentarista conservador americano Bill Whittle, de 2012, intitulado "The Conservative Message". Ele afirmava categoricamente que o sucessor do recém-reeleito Barack Obama viria da cultura pop. Aquela previsão me soou inconcebível num primeiro momento, mas definitivamente me marcou. O próprio

Whittle, na ocasião, não fazia a menor ideia de que Trump entraria em cena anos depois e provaria que seu inusitado prognóstico estava correto.

Trump é um acontecimento da cultura pop antes de ser um fenômeno político. Construiu uma, digamos, "movimentada" carreira antes de concorrer à presidência em 2016. Apresentou o *reality show O aprendiz*, fez pontas em filmes e séries — de *Esqueceram de Mim 2* a *Sex and the City* —, desfilou sua riqueza e seus (às vezes maus) modos no mesmo tapete em que celebridades pisaram.

Ele é "a ideia que um homem pobre tem de um homem rico", como zombam seus críticos? Pode ser. Mas a verdade é que fez o que quis com a opinião pública, especialmente aquela opinião que não estava pronta, por um público que não estava domesticado. O entretenimento arrombou as portas da burocracia.

O leitor conhece Scott Adams? Tenho certeza de que muitos conhecem sua criação: "Dilbert", uma das tirinhas mais populares de todos os tempos. Adams é um sujeito sagaz, curioso e inquieto, um especialista em hipnose e persuasão que também se interessa por política. Ele se meteu a analisar a campanha presidencial de Donald Trump e foi um dos primeiros a cravar a sua improbabilíssima vitória ao dissecar as "bruxarias retóricas" empregadas pelo então neófito político em seu celebrado livro *Ganhar de lavada: Persuasão em um mundo onde os fatos não importam* (Editora Record, 2018).

Logo de cara, percebeu alguma coisa diferente acontecendo. Ele notou que Trump operava, mais do que todos os outros, no limiar da racionalidade discursiva. Ele sabia que o que decide o voto é o sentimento, não a razão. A razão quase sempre chega atrasada, para justificar o que já foi feito, contar uma historinha...

Partindo desse pressuposto, Trump dinamitou o sistema político tradicional. Fez o Partido Republicano bater cabeças, sem saber se deveria, e como, domesticá-lo. Ninguém o levou a sério nas primárias, salvo dois ou três analistas, como Scott Adams e... o público.

Quanto mais o empresário dublê de político era atacado por seus defeitos, mais ele demonstrava que seus defeitos eram virtudes para muita gente. Não estou dizendo que o eleitor comum é incapaz de perceber a diferença entre erro e acerto, virtude e vício. Ocorre que os valores morais, culturais e políticos de uma certa elite, muito bem posicionada no *mainstream*, podem não ser os mesmos de uma grande massa que tem direito a voto, a chamada "maioria silenciosa", que escapou ao radar dos comentaristas.

Trump rapidamente entendeu duas coisas. A primeira, que havia voto não representado no país. A segunda, que ele chegaria a esse eleitor por outras vias.

E chegou.

O historiador americano Victor Davis Hanson foi um dos poucos intelectuais públicos que se dedicou a examinar o apelo eleitoral de Trump, no bestseller *The Case for Trump* (2019):

Este paradoxo foi a chave para o enigma de Trump: uma capacidade de fazer seus rivais menos abastados de classe média parecerem esnobes abjetos e sarcásticos inautênticos, como se o populismo fosse um estado de espírito e atitude e não preordenado pela classe social do candidato. Trump viu isso como vantagem e abertura. Em um golpe perspicaz de marketing, Trump poderia vestir um terno Brioni e sapatos de 10 mil dólares e ainda parecer mais o fanfarrão espalhafatoso saindo de uma pista de boliche. Seu sotaque do Queens, seu esforço patente para se manter jovem com bronzeamento, tintura de cabelo e cirurgia facial, sua ampla circunferência e predileção por fast-food [devorando potes de frango frito a bordo de seu Boeing 757 banhado em ouro] o faziam parecer ter os mesmos hábitos e apetites incontroláveis do homem esquecido do "Cinturão de Ferrugem" do centro-oeste americano. Quanto mais as elites costeiras em Nova York e Los Angeles o menosprezavam, mais crescia sua credibilidade em Youngstown, Ohio e em York, Pensilvânia. Curiosamente, ele certamente se parecia mais com o eleitor indeciso dos estados pendulares do que com o muito menos ostensivamente rico Mitt Romney, o sempre pomposo e erudito Barack Obama ou sua adversária em 2016, Hillary Clinton, com seu vernáculo tecnocrata e seus vestidos de grife.

Semana após semana, mês após mês, sua candidatura era desacreditada, tratada como blefe, vista como comédia. Semana após semana, mês após mês, a candidatura ganhava entusiastas, mobilizava descontentes, interessava alienados.

Ganhou de lavada.

POR AQUI, UM IMITADOR conseguiu o mesmo feito. Jair Bolsonaro saltou dos programas populares ao Palácio do Planalto em pouco tempo.

Na mais controversa campanha eleitoral desde a redemocratização, o ex-militar deu um nó tático nas campanhas adversárias, no filtro da grande mídia, nos intelectuais de esquerda, nos inimigos e até nos apoiadores (ai de mim!), e venceu com folga o petista Fernando Haddad, preposto e procurador do então presidiário Lula.

Certa vez, durante a campanha de 2018, um gesto despretensioso revelou muito do *modus operandi* de Jair Bolsonaro. Ele notara, empilhados sobre a mesa, *flyers* recém-impressos para a campanha de Flávio Bolsonaro ao Senado pelo Rio de Janeiro.

Pegou um exemplar onde se lia uma extensa lista de propostas bastante específicas elencadas pelo seu filho, futuro senador pelo Rio de Janeiro e futuro sabotador de seu governo.

Com um olhar de profundo desdém, quer dizer, apenas de desdém, porque Bolsonaro é incapaz de ser profundo, virou-se pra mim e disse: "Ô garoto, tu acha que alguém lê essa merda? Porra nenhuma, isso aqui e nada é a mesma coisa, pode jogar fora!"

Foi uma rude epifania para mim.

Bolsonaro cooptou o discurso (pseudo)religioso, reinterpretando as colunas mestras do movimento integralista* dos anos 1930, ao escrever com a Bic na palma da mão: "Deus, Família e Brasil". Três palavras que, indiscutivelmente, valeram por horas e horas de programas eleitorais dos adversários.

Ok, as circunstâncias eram favoráveis a uma candidatura assim. Os escândalos de corrupção e a péssima gestão econômica do governo Dilma levaram o país a uma das maiores recessões de sua história — e a uma depressão política sem precedentes.

O brasileiro estava esgotado. O brasileiro estava de saco cheio. Salvo a militância, ninguém aguentava mais o PT. Ninguém aguentava mais o PSDB cobrar do PT o *mea culpa*.

---

* O Integralismo, movimento ideológico de inspiração fascista, foi um dos mais relevantes movimentos de massa ocorridos no Brasil na década de 1930. Arraigado no pensamento autoritário brasileiro, o movimento foi deslanchado em 1932 pelo escritor, jornalista e político Plínio Salgado, com a publicação do *Manifesto de Outubro*. O manifesto apresentava ao povo brasileiro conceitos de renovação nacional e os princípios fundadores de uma ferrenha militância ultranacionalista, corporativista e tradicionalista cristã contra o liberalismo e o comunismo, responsáveis — segundo eles — por todos os males do mundo moderno. Os integralistas também ficaram conhecidos como camisas-verdes ou, pejorativamente, como galinhas-verdes por seus adversários, em referência à cor dos uniformes que utilizavam.

Com o trabalho da Lava Jato a todo vapor e um atentado no meio do trajeto, Bolsonaro achou um jeito de bagunçar o que já estava bagunçado, e essa bagunça ficou parecendo arrumação. Clóvis Rossi não foi à toa um dos mais premiados jornalistas do Brasil. Muito antes de existir Bolsonaro, resumiu com perfeição a contradição ambulante que ele revelaria ser antes e depois de eleito: "Ética, no Brasil, é roupa feita sob medida: quando se está fora do poder, tenta-se vesti-la de fraque e cartola. Uma vez no poder, uma sunguinha já basta."

Sua vitória aconteceu no subterrâneo das mídias sociais, sem entrar no mérito de sua qualidade. Ele virou o candidato do brasileiro comum, insatisfeito, desassistido.

Ao contrário de Trump, que, apesar de todos os pesares, é bastante inteligente, Bolsonaro teve a sorte de ver suas limitações ganharem valor. Transmogrificou o trumpismo em sua própria versão "tabajara".* Ou seja: ele só sabia fazer aquilo mesmo. Fez e deu certo.

Sua linguagem tosca virou simplicidade. Sua grosseria virou espontaneidade. Sua destemperança virou independência. O meme virou presidente.

CONHECIDO POR SEUS CABELOS sempre cuidadosamente despenteados, Boris Johnson disse certa vez que "minhas chances de me tornar primeiro-ministro são tão boas quanto as chances de encontrar Elvis [Presley] zanzando em Marte ou de que eu reencarne como uma azeitona". Johnson teve uma ascensão meteórica na política britânica como um campeão do Brexit, o plebiscito que definiu a saída do Reino Unido dos tentáculos burocráticos da União Europeia. Johnson

---

* Referência às Organizações Tabajara, empresa fictícia do extinto programa humorístico *Casseta & Planeta*. O termo se popularizou como alcunha para produto falsificado ou de qualidade duvidosa.

foi ungido como o homem para o momento, o único capaz de finalmente selar o acordo mais importante da história recente do país.

Em 2019, assumiu a liderança dos Conservadores e conduziu seu partido à sede do governo de Sua Majestade em 10 Downing Street com um massacre eleitoral sobre o Partido Trabalhista — a maior vitória de seu partido desde 1987, assim concluindo sua transformação na "azeitona" que iria comandar a quinta maior economia do mundo. Logo na sequência, respaldado pelo crivo popular, cumpriu a "missão impossível" que foi escalado para enfrentar após as frustradas tentativas de sua antecessora Theresa May.

Muitas vezes, Johnson foi descartado como um peso leve que não tinha a seriedade necessária em um líder. Às vezes, ele era conivente com essa impressão, fomentando a imagem de um populista desgrenhado e loquaz, incapaz de conter sua erudição oxfordiana ao empregar palavras em latim com desnecessária frequência.

Eleito pela primeira vez para o Parlamento em 2001, ele transitou por anos entre o jornalismo e a política, tornando-se conhecido como um polêmico colunista que chegou a descrever o povo de Papua-Nova Guiné como "canibais" enquanto era figura carimbada em *gameshows* noturnos no horário nobre da TV britânica.

Queridinho da imprensa, Johnson era alvo predileto dos insaciáveis paparazzi dos tabloides, que cansaram de clicar o excêntrico bufão — como se tivesse acabado de tropeçar da cama — trotando pelas ruas londrinas trajado com camisa e sapato sociais, shorts floridos e bandanas estampadas com caveiras.

Seu primeiro grande cargo político, como prefeito de Londres entre 2008 e 2016, adequou seus talentos. Ele construiu uma proeminente presença como um carismático embaixador global da metrópole — uma imagem exemplificada quando ele ficou preso em uma tirolesa durante as Olimpíadas de Londres de 2012, acenando com bandeiras inglesas enquanto balançava no ar.

Johnson sempre sonhou em emular seu herói Churchill, cuja biografia ele próprio escreveu: um personagem grandioso que liderou a Grã-Bretanha em um período turbulento. Ele foi derrubado por crises de sua própria autoria, quando um fio de alegações de ética se tornou uma enxurrada que engoliu seu governo e virou o público e seu próprio partido contra ele.

Após uma condução errática da pandemia, a casa começou a cair no escândalo que ficou conhecido como *Partygate*, quando os britânicos descobriram que, enquanto o país era submetido a um severo lockdown e uma rígida política de distanciamento, o primeiro-ministro promovia festinhas regadas a álcool e amigos aglomerando em Downing Street.

Sobrevivendo aos trancos e barrancos, Johnson ainda seria alvejado por um escândalo de corrupção, quando descobriram que ele tentou proteger o lobista Owen Paterson, um aliado de longa data. Em meio ao caos doméstico, Johnson notou que o incipiente caos chamejando no leste europeu poderia ser a plataforma ideal para uma reviravolta triunfal. Johnson viu na invasão russa da Ucrânia a oportunidade perfeita para dissipar os holofotes voltados aos seus incessantes escarcéus e finalmente realizar o que acreditava ser sua predestinação churchilliana. Como um dos defensores mais vocais da Ucrânia no concerto das nações, Johnson viajou mais de uma vez a Kiev para veementemente condenar a hostilidade de Vladimir Putin e prestar incondicional apoio a Volodymyr Zelensky e suas tropas, destinando-lhes bilhões de libras em assistência militar. Mas não foi o suficiente.

A gota final veio com a descoberta de que, mesmo informado de que o membro do parlamento Chris Pincher enfrentava graves acusações de agressão sexual, Boris Johnson manteve sua nomeação para a direção da bancada parlamentar conservadora. Ministros-chave e centenas de assessores de seu cambaleante governo insurgiram-se contra o premiê e demitiram-se em debandada, forçando Johnson a fechar as cortinas e sair de cena. *Game over.*

Uma ascensão e queda que ilustra os limites da política como entretenimento. Quando os problemas se avolumam, ter densidade pessoal, discernimento e capacidade gerencial fazem toda a diferença. Não há tentativa de entreter que resista à incompetência e à esculhambação.

O ÚLTIMO EXEMPLO é, sem dúvida alguma, o mais impressionante.

O já mencionado Volodymyr Zelensky, ou apenas Zelensky, parece um personagem saído de história em quadrinhos. Se um roteirista bastante imaginativo o criasse, muita gente franziria o cenho diante de tamanha inverossimilhança. Mas aconteceu.

De origem judaica e formado em direito, fez carreira na Ucrânia como produtor e humorista. Sua popularidade cresceu nos últimos anos.

Na série de TV *Servant of the People*, ele interpretou um professor que por acaso virou presidente da Ucrânia. Foi um sucesso estrondoso, que saiu das telas para as urnas: tratada como piada, sua candidatura colou.

Em 2019, o comediante que viveu o personagem de presidente virou presidente de verdade. Talvez cumprisse um mandato protocolar, destinado à curiosidade histórica, não fosse a absurda guerra iniciada pelo déspota russo Vladimir Putin.

Tão inacreditável quanto sua conversão de artista em presidente foi sua conversão de presidente a herói nacional. Zelensky soube compreender o momento, teve coragem de permanecer em seu país e mostrou que um bom político se faz com qualquer tipo de matéria-prima.

A coragem de Zelensky ganhou envergadura em meio ao bombardeio russo na região separatista de Donbass, quando recusou uma oferta americana para fugir de Kiev. Sem rir, o comediante declarou: "A luta está aqui. Preciso de munição, não de uma carona."

Enquanto a guerra acontecia, parte considerável da intelectualidade de esquerda e de direita é que passou a fazer comédia.

Chegavam a me arrancar gargalhadas as piruetas verbais com que progressistas e reacionários tentavam justificar o injustificável e culpar a vítima, em vez de responsabilizar o agressor.

No fim das contas, descobrimos que o comediante Zelensky tinha alma de estadista. Palhaços eram seus críticos do *establishment*. Sua formação exótica, sua origem excêntrica não foram empecilhos, mas vantagens, quando precisou chamar a nação à luta e juntar militares e civis contra o brutal invasor. Na hora mais escura, tratou a política como serviço público — não como entretenimento.

PARA CONCLUIR, faço uma distinção importante no que chamo de "política como entretenimento". Há pelo menos três maneiras diferentes de se entender isso.

A primeira, mais convencional, é o uso do marketing político de modo que entretenha o eleitor para lhe conseguir atenção e, com sucesso, adesão. Você transforma o *jingle* em voto. Todas as campanhas, em alguma medida, apelam a isso. Obama é o caso emblemático.

A segunda, menos corriqueira, é quando um político vem do mundo do entretenimento e se aproveita de alguns dos seus recursos para vencer a eleição e, se for o caso, exercer o mandato. Dois exemplos são Ronald Reagan e Volodymyr Zelensky.

A terceira — esta, sim, mais perigosa, que ganha escala no mundo das mídias e redes sociais — é a política tratada como entretenimento.

A espetacularização da própria atividade política, especialmente no trato com a mídia. O político subverte a comunicação tradicional, seja com seus aliados ou com seus opositores, seja no âmbito interno ou no âmbito externo, e conduz o mandato como se conduzisse um *reality show*.

Boris Johnson não passa de um romântico, que se via como o herói de uma epopeia. O público britânico adora uma boa fábula, especialmente uma envolvendo um herói. Mas como a história nos diz, na mesma medida que adoram vê-los se construir, se regozijam ao vê-los se autodestruir e desabar com a voracidade implacável da imprensa britânica, sempre sedenta por escândalos a explorar, servindo depois a carcaça de seus alvos como entretenimento barato para alimentar as massas.

Nos Estados Unidos, em alguma medida, Donald Trump fez da política o seu circo pessoal, mas a democracia americana é resiliente e aguenta trombadas populistas com alguma tranquilidade. Se ele deixou alguma herança, foi a seguinte: com sua atuação controversa, combativa e imprevisível, mexeu nas águas paradas da política feita por... políticos. Na comunicação fingidamente educada, que muitas vezes escondeu as piores intenções. Vejam o resultado: Trump foi, Biden veio. Prometeu o "retorno à normalidade", mas a confusão continua. O bom velhinho tem se mostrado apenas velhinho. Os Estados Unidos não são melhores agora do que antes, e já há quem sinta saudades do alaranjado empresário, que é bem cotado nas pesquisas para a próxima sucessão.

E não adianta dizer, como Homer Simpson, que "a culpa é minha e eu coloco em quem eu quiser". A verdade é mais pontiaguda. Se elegemos presidentes de *reality show* é porque gostamos de assistir e votar em *reality shows*. Trocamos os discursos elaborados por tuítes engraçados. Preferimos a *live* ao debate. Os políticos, tão diferentes de nós, são, ao mesmo tempo, muito semelhantes a nós.

Trump teve o mérito de escancarar os portões do cinismo e convidar uma grande parte do povo americano, que se preocupa mais com emprego que com identidade, a tocar na grande fanfarra eleitoral. Afinal de contas, para cada pessoa, um voto. Os da maioria silenciosa valem tanto quanto os da minoria barulhenta.

Abaixo da linha do equador, num país que vive de golpe em golpe, com períodos breves de calmaria, Bolsonaro fez de tudo para levar tal prática às últimas inconsequências. E não teve graça nenhuma.

CAPÍTULO 9
BRASIL: UMA UTOPIA AINDA POSSÍVEL

"O Brasil é a melhor piada já contada por um português."

FERNANDO PESSOA FERREIRA (1932-2010),
jornalista e escritor pernambucano-paulista

O BRASIL É UM incidente geográfico.

Embora os historiadores já não aceitem a versão de que o descobrimento se deu por mero acaso, o fato é que, quando avistaram nossas terras, os portugueses estavam mais preocupados em achar uma rota alternativa para as Índias.

Nosso país, veja só, foi um efeito colateral da expansão lusitana "por mares nunca dantes navegados". Um episódio da história do comércio português. Um troco.

Os irmãos europeus queriam ouro e especiarias, mas acabaram encontrando muita terra e um tremendo abacaxi. Sorte nossa? Azar deles?

Chegando aqui, encontraram gente pra caramba e deu no que deu. Uns índios eram amigáveis, outros eram tão amigáveis que até comiam os recém-chegados. Os intru..., os visitantes foram aprendendo as diversas línguas, eliminando outras línguas, trocando espelho por flechada, mas ficaram.

Se quiser relembrar (aposto que já viu na escola) o deslumbramento que deve ter sido chegar a uma florestona parecida com as dos filmes do James Cameron (quem aí assistiu a *Avatar*?), leia a certidão de nascimento escrita pelo escrivão da armada de Cabral, o *nerd* Pero Vaz de Caminha. O comecinho da confusão está lá, tim--tim por tim-tim.

Quando tudo começou, nós sabemos. Mas...

...quando tudo começou a *dar errado*?

Será que foi quando, pouco depois da chegada, teve início a exploração sistemática da madeira que daria nome ao país? Vamos combinar: não é bom sinal para o surgimento de uma nação que ela seja batizada com o nome de um pau avermelhado.

Ou terá sido (boa aposta) quando o país, lá por 1534, dado o tamanho inabarcável do território, foi dividido pela Coroa em catorze capitanias hereditárias, numa prévia da nossa pouco equitativa distribuição de terras?

Em 1565, meu amado Rio de Janeiro foi fundado, e não serei eu a jogar a culpa nele pela desgraça. Bico calado. Sou carioca e não desisto nunca.

Talvez o destino agourento tenha sido produto da odiosa comercialização de gente, que começou mais ou menos em 1535. Até a abolição, o Brasil importou quase 5 milhões de africanos. Pensem bem: quase 5 milhões de pessoas escravizadas. Isso inevitavelmente geraria um carma histórico que lá na frente daria em Anthony Garotinho.

Quando teremos entrado pelo cano?

Em 1654, quando as forças holandesas se renderam no Recife, e teve fim o "Brasil holandês"? Seria chique, mas não seria solução. Nós iríamos acabar vestindo laranja e jogar como nunca, perder como sempre, nas Copas do Mundo. Melhor não.

Em 1700, por aí, a Coroa portuguesa começou a cobrar o "quinto", tributo pelo ouro extraído daqui. Pegaram gosto. Do quinto à CPMF foi um pulinho, e o quinto fez o Brasil virar o quinto dos infernos para o cidadão.

Dali em diante, uma sucessão de conspirações, intrigas, revoltas, conjurações e esconjuros. Treta, treta, treta.

Tiradentes (não, não tem perfil no TikTok) foi executado, mas já tinha plantado a sementinha da revolta na cabeça dos companheiros. Aos poucos, as coisas começaram a ficar feias pros portugueses.

Papo vai, papo vem, Portugal recebeu um ultimato de Napoleão, mais ou menos nos seguintes termos (me desculpe o leitor pela explicação técnica, mas este é um livro sério): "Ou cagas ou desocupas a moita!"

Os portugas cagaram-se todos e resolveram ocupar de vez a moita tropical de uns oito milhões de quilômetros quadrados. Tinha espaço à beça pra todo tipo de covardia.

Em 1808 desembarcou aquela gentarada pra ficar aqui de vez, que nem visita que demora pra ir embora. Sabe quando os parentes que a gente nem sabia que tinha aparecem todos, sem trazer com eles os testes de DNA, mais ou menos na hora do almoço? Chegaram e foram ficando.

Primeira grande ideia: fazer do Rio a capital do Império.

Em 7 de setembro de 1822, já muito bem acomodados, d. Pedro dá um tapa na mesa e proclama a Independência do Brasil.

Ruim com eles, pior sem eles? Sabe-se lá. Na história, como no futebol, o "se" não ganha jogo.

Se fôssemos holandeses, se fôssemos franceses, se fôssemos um reino português, se ninguém tivesse achado coisa nenhuma e ainda andássemos pelados por aí...

D. Pedro foi coroado, o Primeiro Reinado começou, instaurou-se a Assembleia Constituinte, logo veio a Constituição do Império, mas lá no horizonte, não muito longe, mudanças maiores vinham pelo caminho.

Umas boas, outras ruins.

A abolição da escravatura foi o resultado de um movimento civilizatório que juntara as melhores cabeças do país. Em 1888, a regente princesa Isabel assinou a Lei Áurea e pôs fim ao escândalo que foi a escravidão.

O Brasil, aluno do fundão, foi o último país a acabar com isso.

Não bastava libertar os escravos sem integrá-los à sociedade, mas parece que ninguém atinou com essa obviedade. Os caras pensaram: lavou, tá novo.

Por isso, os graves problemas sociais que ainda perduram — racismo, preconceito de classe, desigualdade, baixa mobilidade social etc. — são herança dessa libertação pela metade.

Fizemos o certo, mas não fizemos o certo por inteiro.

Escravidão abolida, República proclamada: Deodoro da Fonseca, por meio de um golpe militar, destituiu d. Pedro II e deu início à República Velha. E a república continua velha até hoje.

Será que foi aí que tudo começou a dar errado?

Ou será que foi quando Getúlio Vargas, depois de assumir daquele jeito, com a deposição de Washington Luís, resolveu se aliar aos militares para dar mais um golpe de Estado e começar a ditadura do Estado Novo?

Político falou em "novo", desconfie.

Já no fim da Segunda Guerra Mundial, quem tomou golpe foi o Vargas. Entrou o Eurico Gaspar Dutra. Com apoio do Vargas.

É, o Brasil é desse jeito.

Conversa vai, conversa vem, vamos trocando de golpes, de Constituições, de ditadores, de presidentes... até que, surpresa!, Getúlio Vargas virou de novo presidente. Agora eleito. Mas não teve vida fácil. Passou o mandato brigando com o Carlos Lacerda, que era o Monark da época, numa versão culta e inteligente que só seria possível no multiverso da loucura brasileira. Por fim, vencido pela chatice, num gesto grandiloquente e teatral, Vargas escreveu uma carta e deu um tiro no peito.

Aquela comoção.

Juscelino Kubitschek assumiu uma encrenca e inventou outra: Brasília.

O "Presidente Sorriso" cismou que a capital tinha de sair do Rio (que continua lindo) e ir para o centro do país, o Brasil profundo, o Brasil agreste, em nome da integração nacional ou sei lá o quê.

A intenção era boa, mas na prática...

Brasília foi inaugurada e, no ano seguinte, Jânio Quadros tomou posse.

Nem esquentou a cadeira, durou pouco tempo, renunciou. Veio João Goulart, a Dilma da época.

Bagunça instaurada, dispensemos os pormenores, os militares acharam que Jango podia instaurar uma ditadura de esquerda, então resolveram se antecipar e instaurar uma ditadura de direita.

Ô país cheio de solução boa.

Ditadura instaurada, exílios, execuções, prisões, censura e longo etc.

Chegamos aos anos 1980 de saco cheio dos milicos. O movimento a favor das Diretas Já foi ficando mais forte, mais forte, mais forte, até que, depois de uma conturbada Constituinte, promulgamos a Constituição em 1988.

Extensa, complexa, esquizofrênica, mas atendia ao espírito democrático da época. Imperfeita, sim, mas foi o que deu.

De lá pra cá, Tancredo morreu antes de assumir, Sarney assumiu antes de morrer, Collor fez que veio mas acabou indo, Itamar errou pra caramba até, aos 45 do segundo tempo, acertar. Fernando Henrique Cardoso e grande elenco botaram um pouco de ordem na casa.

Parecia (só parecia) que as coisas enfim se ajeitariam. Oito anos de estabilidade econômica (maior nos primeiros, menor nos últimos) não escondem, entretanto, a grande besteira que FHC inventou: a reeleição.

Se brasileiro erra na hora de eleger e ser eleito, imagina ter uma segunda chance logo em seguida?

Lula assumiu, depois veio Mensalão, Dilma, Petrolão, Temer, o Efêmero, e...

Bem, vocês sabem quem.

Deve estar claro pra todo mundo que não dá pra determinar quando tudo começou a dar errado. Listei muitos acontecimentos, poderia ter listado outros, toda história tem mais de um começo possível.

NÃO ADIANTA PROCURAR o culpado, uma vez que existe mais de um além da própria imprevisibilidade histórica. Ocorre que o Estado brasileiro é grande, muito grande, maior que o próprio país. Por isso o abocanha, o mastiga e o engole.

Não tem limites, tem metástases, que lança sobre os órgãos que teimam em sobreviver. Mas, como um fisiculturista que se entope de anabolizantes, tem mais tamanho que força. É inchado, lento e ineficaz. Um gigante oligofrênico.

Está em toda parte e, ao mesmo tempo, está em parte alguma. Quando precisamos dele, desaparece. Quando precisamos que desapareça, empaca.

Delfim Netto, que já jogou em todas as posições da política brasileira e hoje, para o nosso bem, está no banco de reservas, resumiu: "O governo é grande e lerdo como um dinossauro. Se pega fogo no rabo, demora vinte meses para entender o que se passa. E quando o cérebro reage, move a cauda para o lado errado."

Gasta muito com funcionários públicos ativos e inativos, nas administrações direta e indireta. O Orçamento — de acordo com o

188

Tesouro, um dos mais engessados do mundo — é comprometido pela própria manutenção e subsistência da máquina, que consome mais em energia do que entrega em desempenho. Com isso, nossa capacidade de investimento é pequena. Independentemente de quem for o executor desse Orçamento, governará (ou não) de mãos atadas.

São aproximadamente 50 estatais (des)funcionando a todo o vapor (algumas, movidas a manivela) e cerca de 90 subsidiárias, num total de quase 140. Tenho dúvidas se é preciso tanto.

A discussão aqui nem chega a ser de princípios. Neste ponto, não aprovo ou desaprovo o número de estatais, não comparo sem contextualização com outros países, maiores ou menores que o nosso.

Questiono, sim, quanto essa estrutura nos faz perder em termos de competitividade. Empresas do governo deveriam atender aos mesmos critérios das melhores empresas privadas: meritocracia, transparência, resultados.

Infelizmente não é assim, uma vez que, em países como o nosso, as interferências políticas são tentadoras. No presidencialismo de coalizão — e cada vez mais de colisão —, exigências parlamentares podem se meter na política de preços, caprichos regionais podem comprometer a estabilidade nacional, indicações ideológicas podem se sobrepor a competências técnicas.

Discuto, ainda, a questionável lógica de se pagar tanto e receber tão pouco. Haver ou não empresas estatais ou um número maior ou menor de funcionários públicos importa menos que o desenho institucional desse Estado e dos serviços que ele entrega. De quanto esse Estado promove em termos de cidadania.

O economista Ricardo Amorim compreendeu a fórmula do nosso "liberalismo": "O Brasil desenvolveu um modelo único de Estado mínimo. Não importa quanto ele arrecada, o retorno à população é mínimo."

É impossível detalhar tecnicamente o funcionamento da geringonça, porque teríamos de saber quanto é desperdiçado com benefícios, direitos adquiridos, isenções, supersalários, auxílio-paletó e outros sinônimos que existam no dicionário para descrever todos os penduricalhos da orgia orçamentária com o qual nos acostumamos — e não deveríamos.

Perceba o leitor que estamos falando das coisas admitidas. Só Deus sabe o tamanho, a extensão, a capilaridade das não admitidas. A grande e a pequena corrupção. Os grandes e os pequenos acordos. Os esquemas federais e municipais. Em suma, o "mecanismo", como o chamou o cineasta José Padilha em sua aclamada série.

Mas o paradoxo é o seguinte: o Estado brasileiro é enorme e é pequeno. Está onde não deveria e não está onde deveria. Quando você precisa de segurança, não se sabe onde foi parar o Estado. Quando você precisa de liberdade, ele aparece com as algemas.

Sou um liberal e reconheço a importância do Estado na sociedade contemporânea. No mínimo, reconheço que o Estado não sumirá da noite para o dia. Queiram os libertários ou não, essa mistura de Estado e mercado é o que temos, embora precisássemos ter algo um pouco melhor.

No Brasil, a mistura azeda. Tem um fiscal em cada esquina. Se você quer empreender, você é atrapalhado, atrasado e, às vezes, impedido. O empresário é malvisto pela direita e pela esquerda.

A direita, que se diz a favor do livre mercado, muitas vezes é a direita patrimonialista, que incentiva o livre-comércio desde que subsidiado e protegido. Concorrência para os outros, protecionismo para mim.

A esquerda, que se diz a favor dos trabalhadores, muitas vezes é a esquerda sindicalista, que incentiva o trabalho desde que submisso aos interesses de líderes sindicais ou partidários.

O homem comum que quer abrir um negócio, que quer arriscar a própria pele, é "protegido" por leis e interdições que sufocam sua criatividade e estimulam uma cultura de fracasso e dependência. Depois de algumas tentativas frustradas, é mais fácil virar concurseiro e garantir seu pedacinho do bolo, mesmo que à custa dos outros.

Os liberais precisam aprender urgentemente a falar português. Não o português das academias, dos bacharéis, dos tecnocratas, mas o português do feirante, do prestador de serviços, do trabalhador do chão de fábrica e do comerciante. E falo isso sem condescendência, não me entendam mal. Não quero dizer que a linguagem econômica é difícil para os mais humildes ou de menor instrução. Ela é difícil para todos, e todos temos nossas limitações. Eu não compreendo a linguagem de muitas ciências, por exemplo, e preciso que me expliquem melhor as descobertas de muitas áreas do conhecimento.

Às vezes, prefiro falar em liberdade econômica e política, em vez de falar de liberalismo. Não tenho vergonha do ideário liberal, o problema não é esse. O problema, a meu ver, é estratégico: certos "ismos" vêm carregados historicamente, e podem sofrer rejeição antes mesmo de serem compreendidos. No entanto, se falo que as pessoas deveriam ser mais livres para fazer mais negócios, pequenos ou grandes negócios, e deveriam ser mais livres para expressar suas opiniões políticas e suas opções existenciais, isso não sofre rejeição, ou sofre muito menos. Afinal de contas, quem não gosta de liberdade?

Quando há liberdade econômica e política, as pessoas podem mudar de vida com esforço, estudo e trabalho. Claro que também depende de oportunidades. A meritocracia é um valor que precisa ser levado em consideração e mais cultivado, mas não pode se transformar numa espécie de chave abracadabra ideológica que abrirá todas as portas. O mundo é muito mais complexo que isso. Faz muita diferença a forma como você entende a meritocracia se você nasce numa família rica ou de classe-média e se você nasce numa família pobre ou miserável. É preciso ampliar e promover oportunidades para, aí sim, esperar que o máximo de pessoas as aproveitem.

Verdade seja dita: direita e esquerda à parte, o fato é que a gente toma porrada de cima pra baixo. Coronéis regionais, famílias tradicionais, *establishment* midiático, oligarquias ancestrais, partidos necrosados, funcionalismo público que defende interesses privados, cartéis, consórcios, conluios, sindicatos e toda a corte de pequenos bajuladores do rei, são esses que mandam. Que escrevem leis, que vestem fardas, que apontam dedos, que calam bocas. É com eles que seguimos rumo ao precipício desde que as primeiras caravelas chegaram ao sul da Bahia.

Como é possível o Brasil ser pioneiro na produção de etanol, ter a maior frota de carros flex do mundo e viver esse dilema sem fim da cotação internacional do petróleo que eleva o preço da gasolina e do diesel e trava a economia do país?

Como é possível o Brasil ter copiosas reservas de petróleo, mas até hoje não ter capacidade de refino suficiente para abastecer com derivados toda a demanda do mercado interno?

Como é possível que políticos sabidamente corruptos, com graves acusações e processos correndo pelos tribunais, continuem sendo eleitos e reeleitos com o voto daqueles que mais sofrem as consequências diárias do desvio de dinheiro público?

Como é possível fortalecer o desenvolvimento econômico se a Receita Federal trata o empreendedor com presunção de culpa, aumenta cada vez mais seus instrumentos de punição e alimenta a complexidade do sistema tributário para justificar sua existência?

Como é possível que um país com milhares de quilômetros de praias, com o Pantanal, com a Amazônia, com as cataratas do Iguaçu, com os Lençóis Maranhenses, com o Jalapão, com as serras Gaúcha e Catarinense, com as cidades históricas de Minas, com o Cristo Redentor e tantos outros locais de interesse turístico, receba menos visitantes que a Argentina?

Como é possível o Supremo Tribunal do país estar sendo ocupado por juízes cada vez mais comprometidos com seus padrinhos políticos? Juízes que se tornaram *popstars*, exercendo sua autoridade e influência a partir da opinião pública, em vez de agir como julgadores no silêncio e pelo estrito cumprimento da lei, negando a essência e o objetivo de um Supremo Tribunal Federal que deveria proteger a Constituição Federal?

Como é possível onze ministros serem mais conhecidos que os onze titulares da seleção brasileira de futebol, e ainda assim perderem o status de pretório excelso — colegiado de homens e mulheres que pairam acima de qualquer suspeita e donos de raro saber jurídico —, deixando-se envolver por picuinhas político-partidárias, discutindo sem qualquer inibição em rede nacional, ostentando seus pontos de vista para o grande público, e ainda justificando na tribuna do Twitter os votos dados no Plenário da mais alta corte de justiça do país?

Como é possível, mais de quinhentos anos depois do nosso descobrimento, o Brasil continuar apenas produzindo e exportando *commodities*, mal beneficiando, processando ou agregando valor a elas? Como é possível o Brasil acreditar que é comercialmente sustentável manter-se dependente da importação de eletroeletrônicos, de maquinaria, equipamentos industriais, componentes tecnológicos, fármacos, medicamentos, insumos para vacinas, pesticidas e defensivos agrícolas, enquanto sua exportação segue limitada às *commodities* agrícolas como feijão, milho, carne e soja, devido à crônica falta de competência, planejamento e criatividade dos gestores públicos?

Como é possível um país que se arvora celeiro do mundo ter, de acordo com a Empresa Brasileira de Pesquisa Agropecuária — Embrapa, um agronegócio responsável por alimentar cerca de 800 milhões de pessoas, ou aproximadamente 10% da população global, e assistir passivamente o retorno do país ao mapa da fome, enquanto 33 milhões dos seus cidadãos não têm o que comer, sujeitando-se na fila para a compra de ossos e pelancas ou disputando comida em caminhões de lixo?

Como é possível a soberania do Brasil sobre a Amazônia alimentar discussões acaloradas nas burocracias de Brasília, nas universidades do "Sul Maravilha" e nos fóruns de organizações globais enquanto a floresta permanece nas mãos de traficantes, contrabandistas, exploradores e matadores de aluguel, que dão recados claros de que a lei da selva não respeita os mesmos códigos e tribunais que o restante do país?

Como é possível que, após quase um quarto do século XXI, estejamos nos afogando no sangue da guerra às drogas como um dos principais corredores do narcotráfico internacional? Que neste caminho mortífero, a vida de milhares de jovens brasileiros seja arruinada pelas garras do tráfico? Como é possível que as autoridades brasileiras assistam passivamente ao recrudescimento do crime e da violência, tomando de medo o coração do cidadão comum sem oferecer uma resposta firme à sociedade? Enquanto o jornalista Dom Phillips e o indigenista Bruno Pereira se juntam à extensa lista de vítimas do poder paralelo que domina a Amazônia, a população do Rio de Janeiro contempla de forma inerte o sequestro de mais da metade do território da cidade pelas falanges milicianas. E tudo isso acobertado por um sistema penal que não pune, quando pune não prende, quando prende não reeduca e quando é cobrado se defende dos ataques como pobre injustiçado? Como é possível tamanha apatia social diante de um cenário cada vez mais bárbaro, cada vez mais distante do ideal civilizatório?

Como é possível que, embora os contribuintes brasileiros paguem cerca de 200 bilhões de reais por ano, que são investidos em saúde pública, mesmo assim precisem recorrer a um plano de saúde privado — cada vez mais caro — para garantir o mínimo de assistência para eles e suas famílias? Como é possível um país com 210 milhões de habitantes ter cada vez menos grupos de saúde porque oligopólios privados se fortalecem cada vez mais, atendendo a uma parcela cada vez mais expressiva da população?

Como é possível que, quando um brasileiro compra um carro e o financia em sessenta meses, os bancos ganhem mais que a montadora e o próprio governo, que cobra alto seus tributos? Como é possível um país em que o banco financia o consumo do trabalhador e financia as operações e a expansão do empresário, cobrando um *spread* bancário* tão alto que o esforço feito tanto pelo trabalhador quanto pelo empresário vá para o banco e não para a economia real, a fim de que ela possa se realimentar e continuar crescendo?

Como é possível termos na indústria bancária uma atividade tão segura que mantém seus lucros crescentes independentemente do governo de ocasião, da situação econômica e até de uma pandemia? Como é possível que os bancos brasileiros baseiem suas operações essencialmente no Brasil, com uma presença marginal no exterior, mas seus lucros sejam comparáveis a instituições presentes em dezenas de países que lidam com moedas, riscos e realidades completamente diferentes? Como é possível o governo dispor de um banco como o Banco do Brasil, que, ao invés de estabelecer um parâmetro para reduzir o preço do dinheiro a quem consome e produz no Brasil, surfa a onda dos grandes bancos privados para auferir cada vez mais lucros nas costas do trabalhador e do empresário brasileiro?

---

* O *spread* é a diferença entre os juros que os bancos pagam quando você investe seu dinheiro e os juros que cobram quando você faz um empréstimo.

O brasileiro parece não compreender o valor do seu trabalho, e isso nos leva a uma apatia conformista, a uma falta de percepção das urgências nacionais. O resultado é que esses grandes grupos de banqueiros e oligopolistas ficam cada vez mais ricos à custa de uma população que simplesmente não consegue progredir.

Seja na economia, seja na gestão, sei que o Estado é grande, mas não vai diminuir amanhã; sei que o livre mercado é bom, mas não será plenamente livre depois de amanhã. Entretanto, fazer o possível é melhor do que não fazer nada.

A VERDADE É QUE o brasileiro vive na merda.

"Por favor, caríssimo André, peço que tenha mais cuidado com o vocabulário!", pensará o leitor.

Mas não, não se trata de baixo calão ou de falta de modos ao escrever. Quando digo que o brasileiro vive na merda, digo que vive *literalmente* em meio à merda. Não é mais uma cansada metáfora para a nossa classe política (que também é uma mer...).

Informo um dado objetivo da realidade: metade da população brasileira vive em áreas sem tratamento de esgoto. METADE.

Escrevo este livro em 2022, e o país que tem um dos sistemas bancários mais seguros e sofisticados do mundo ainda padece com problemas do século XIX, pois não arrumou jeito de universalizar saneamento básico para a população. São milhões e milhões que vivem em condições sanitárias deploráveis.

Isso implica, por óbvio, precário desenvolvimento humano e baixa qualidade de vida. Crianças estão sujeitas a doenças que poderiam ser evitadas e têm o desenvolvimento intelectual comprometido. Adultos e idosos têm sua força exaurida antes do tempo porque não vivem em lugares salubres.

Esse é apenas um dos indecentes problemas estruturais do país. São muitos.

A ideia de um planejamento sistemático em infraestrutura existiu, em alguma medida, com muitos erros e poucos acertos, num recorte temporal que vai do governo de Getúlio Vargas à ditadura militar. Nesse período, houve uma intenção estratégica de estruturar o país para que transitasse da vida rural à vida urbana.

Esse reconhecimento que faço aqui não ignora o aumento exponencial da dívida pública, o emissionismo enfurecido que germinou a erva daninha da hiperinflação, a proliferação de estatais, as contas externas dilapidadas, os orçamentos paralelos, as boquinhas para apaniguados, os cartéis de empreiteiras e o ainda mais salgado preço que se pagou em liberdade política. A liberdade é inegociável.

Mas, de lá pra cá, décadas e décadas foram perdidas, e a modernização foi hipotecada diante das conveniências eleitorais.

Muitos estudos econômicos apontam o investimento em infraestrutura como um dos fatores mais importantes para o crescimento sustentável. O que deveria ser política de Estado (desde que o Estado não se torne entrave, mas facilitador) acaba em emendas, remendos e favores.

Se ainda não resolvemos problemas comezinhos, como o já citado saneamento básico, o que dizer das hidrelétricas e outras matrizes energéticas, das redes de telecomunicação e das malhas de transporte urbano, do conflito no campo e do déficit habitacional nas cidades, do sucateamento das rodovias, ferrovias e hidrovias, dos portos e aeroportos?

A TRAGÉDIA MIL VEZES anunciada é que, enquanto descuidamos da infraestrutura "bruta", que deveria estar resolvida, o mundo desenvolvido já se prepara para trocar as soluções que não realizamos pelas soluções que nem sequer vislumbramos.

Dito de outro modo, o Brasil acabou de chegar ao século XX, enquanto os grandes países que tomamos por modelo estão ambientados no século XXI. Alguns pensam além dele.

E não há sinal mais claro de pensamento a longuíssimo prazo que a preocupação com o meio ambiente, com a preservação associada a progresso, a troca das energias finitas para as renováveis e a sensibilidade de se imaginar um futuro compartilhado entre gerações.

Não estaremos aqui para colher os frutos das árvores que plantamos. Não estaremos aqui para aspirar ar mais puro, beber água mais limpa, comer comida mais saudável e que dependa de menos sofrimento animal.

Por isso, a discussão ambiental remete à utopia — às vezes no mau sentido da utopia, de que já falarei — porque é um acordo tácito entre as pessoas que vivem e as que viverão. Trata-se de missão que ultrapassa interesses de partidos e candidatos, e isso não dá votos. É um ideal que a vista — e o voto — não alcança.

Logo, nada mais compreensível que, para o cidadão que não tem hoje onde morar, o que comer ou vestir, pouco importe o futuro do planeta. Quando a luta pela sobrevivência se impõe, o ambiente vira palco para guerras mais urgentes.

Assim, o ambientalismo não deveria ser capturado por alguns poucos grupos, ONGs ou mesmo partidos. É tema complexo e interessa a todos. Muitas vezes, a esquerda democrática tem o mérito de apontar os problemas, mas, quase sempre, fica nisso.

Para certos ideólogos, que fazem da pauta ambiental sua pauta eleitoral, em vez de sacrificar o futuro em favor do presente, como fazem os espoliadores do patrimônio natural, a saída é sacrificar o presente em favor do futuro.

Isso, além de moralmente errado, é inviável.

Ora, o instinto mais poderoso do ser humano é o da sobrevivência. Logo em seguida, desejamos mais que sobreviver: desejamos viver com algum conforto. Faz parte da nossa natureza.

A pior maneira de conscientizar alguém da urgência ambiental é exigir que sacrifique o pouco que tem em nome do supostamente muito que outros terão. Ninguém topa.

Mais do que de ações pirotécnicas, boicotes publicitários e militância fanática, a preservação depende de inteligência, tecnologia e ciência. E, claro, educação, muita educação.

A PROPÓSITO, QUEM está lendo este livro merece sinceros parabéns. Você é um dos raros que leem neste país. Faço votos para que, depois deste, leia outros, muitos outros, inclusive alguns dos que cito aqui.

É difícil constatar, mas fácil compreender, o que explica o nosso ínfimo índice de leitura. A imensa maioria dos brasileiros acorda cedo para ir trabalhar, pega um ônibus abarrotado, leva marmita, rala o dia inteiro, chega em casa esgotado, e no dia seguinte está de pé de novo, às vezes antes de amanhecer, pra chegar no final do mês e ter um salário indigno com poder de compra minguante. Essa massa de desalentados, acorrentados a esse círculo vicioso de falta de perspectivas e imobilidade social, dá o seu jeito e vai se virando como pode dia após dia.

O cientista político Alberto Carlos de Almeida, autor de *A cabeça do brasileiro,* bem resumiu a mentalidade desses brasileiros que labutam e batalham diuturnamente: "O Brasil é um país entre a Europa e os Estados Unidos. A gente tem essa matriz europeia, ibérica, meio estatizante, mas por outro lado temos uma população, especialmente a de mais baixa renda, muito dinâmica e que tem uma visão de que tem que se virar por conta própria."

Ainda assim, a crise que vivemos é uma crise que combina ao mesmo tempo uma profunda divisão interna com ausência de perspectivas. O jovem do Capão Redondo, em São Paulo, ou da Rocinha, no Rio, não vê muitas chances de melhorar de vida, a não ser quando vira jogador de futebol. Os Racionais MC's trouxeram a esperança do rap, que logo se mostrou um nicho tanto quanto o futebol. Vale o mesmo para as meninas que só veem chance de subir na vida se emularem Anitta ou Luísa Sonza. Não se trata aqui de qualquer crítica ao talento de ambas. Muito pelo contrário. Anitta, por exemplo, é hoje uma estrela internacional, enquanto Luiza, com pouco mais de vinte anos, é uma máquina de produzir hits. Se trata, isso sim, de mostrar que esse é um caminho estreito, para poucos brindados, desde o berço, com raro talento. O mesmo raciocínio se aplica aos meninos que só veem no futebol uma oportunidade de ascensão social. Sem perspectivas, estudar e trabalhar pra quê?

Ainda tivemos uma tragédia recente: jovens que estudaram, conseguiram o tão sonhado diploma do ensino superior e acabaram sendo obrigados a trabalhar como Uber ou entregadores de iFood. Some-se a falta de perspectiva com a divisão interna de ricos contra pobres, Nordeste contra Sul, brancos contra negros, héteros contra homossexuais e o produto final só poderia ser uma sociedade bestializada, que prefere acompanhar *reality shows* em vez de encarar a realidade dura, crua e nua que nos cerca, restando anestesiada ante suas brutais contradições.

O brasileiro, de acordo com algumas pesquisas, lê em média menos de três livros por ano. Se descontarmos o fato de que essa investigação afere quantidade, não qualidade, o problema é ainda maior. Presumamos a qualidade da leitura pela qualidade da escrita e choremos.

Estudantes brasileiros têm sistematicamente tirado as piores notas em testes internacionais. No PISA, principal avaliação de desempenho escolar no mundo, costumamos ocupar colocações não muito honrosas.

Não é que fiquemos distantes dos países muito avançados; ficamos próximos dos muito atrasados. Quase metade dos alunos das escolas públicas sai delas como se nem tivesse entrado. Muitos, na educação infantil, vão para comer. Não adianta pensar em programação quando as crianças têm piolho. Violência, estrutura sucateada, qualificação profissional defasada, falta de envolvimento familiar e desagregação comunitária são dificuldades mais reais e cotidianas que teoria de gênero, Paulo Freire ou comunismo.

Se o domínio básico da linguagem já parece fora do alcance de milhões de crianças, jovens e adultos, a perícia com os números é ainda menor. (Eu entro na triste estatística.)

Neste país, portanto, nós lemos pouco e mal, escrevemos pior, erramos na conta, ignoramos fatos históricos e geográficos elementares, desconhecemos dados científicos que até o mais burrinho dos alunos do filósofo grego Arquimedes manjava e, coincidentemente, elegemos gente muito parecida conosco.

Não que boa formação signifique bom caráter, mas não custa tentar.

O mais interessante é que o Brasil não investe tão pouco assim (proporcionalmente ao PIB) em educação. O caso é que investe mal.

Governos se sucedem e não chegam a um acordo mínimo sobre o que deveria constar — e permanecer — nos currículos que, de maneira geral, são engessados, retrógrados e pouco flexíveis. Nós ralamos com equação de primeiro grau e análise sintática, enquanto noutros países a programação e a robótica são o bê-á-bá da garotada.

Acredita-se, de tempos em tempos, em novas propostas pedagógicas, quando o problema está em (não conseguir) fazer bem o que sempre funcionou: ensinar as disciplinas básicas, que ainda importam, como o domínio do português, também do inglês (como idioma universal) e da matemática.

Ao contrário, mistura-se ao trigo da história e da geografia o joio das configurações ideológicas espúrias, que deveriam ser debatidas, se for o caso, mais adiante, quando o pensamento crítico e a habilidade para selecionar informações já estejam bem consolidados.

No aspecto estrutural, injetamos dinheiro no sistema superior de ensino, seja diretamente, nas universidades públicas, seja indiretamente, nas universidades privadas, e deixamos o que sobra para a educação fundamental e média, que deveria ser prioridade.

Resultado? Ano após ano, em virtude de políticas mais eleitoreiras que educacionais, milhares de diplomados semianalfabetos são catapultados dos bancos escolares diretamente para a fila do desemprego. O mercado não absorve uma demanda que não tem. Na sociedade do conhecimento, quem não conhece fica de fora.

Nosso potencial criativo é desperdiçado sistematicamente. Cedo, nas inteligências natimortas das crianças; tarde, na fuga de cérebros dos adultos. Todos vítimas de um circuito feito para dar curto.

O Estado trata a educação como sua responsabilidade, mas não se responsabiliza pelos resultados vexatórios. A culpa é do governo anterior ou será do próximo. O fracasso educacional do Brasil, alguém já disse, não é acidente. É projeto.

O DESENVOLVIMENTO TECNOLÓGICO é inevitável e benéfico para a humanidade. Hoje, muita gente, principalmente entre os mais pobres, faz negócios e presta serviços por meio de um telefone celular, de um aplicativo de comunicação, coisa impensável há não muito tempo, quando uma linha telefônica era um investimento.

O único cuidado que as sociedades precisam ter é que o *gap* cognitivo entre as pessoas menos instruídas e a tecnologia tem aumentado vertiginosamente. O que isso quer dizer? Que muita gente, quando tem pouca educação formal, pode sofrer, e já está sofrendo, com a velocidade relâmpago da automação. Os empregos serão cada vez mais sofisticados daqui em diante, e se tornarão obsoletos num intervalo de tempo menor. Isso pode criar uma pletora de pessoas desprovidas de habilidades mínimas para ingressar no mercado de trabalho do futuro.

O estudo "O Futuro do Emprego no Brasil: Estimando o Impacto da Automação", produzido pelo Laboratório do Futuro da UFRJ, estima que 27 milhões de trabalhadores brasileiros podem ter suas tarefas assumidas por robôs ou sistemas de inteligência artificial até 2040.

Segundo o estudo, aproximadamente 60% dos profissionais ameaçados têm carteira assinada. A pesquisa ainda revela que os caminhoneiros — categoria com crescente ascendência sobre os rumos da política nacional — têm 79% de chances de serem substituídos pela automação. Se isso ocorresse hoje, 877 mil caminhoneiros ficariam desempregados no Brasil.

Imaginem a disrupção brutal que isso provocaria em nossas cadeias de logística e redes de abastecimento. Mesmo que apenas metade da previsão de fato se verifique no futuro, este é um problema concreto e urgente com o qual governos, mercados e sociedade civil precisam lidar frontalmente antes que, quando menos se esperar, esse "novo normal" se torne inescapável e a "bigorna da realidade" caia avassaladoramente em nossas cabeças.

SE ESTUDAR É DIFÍCIL, nos resta trabalhar. Alguém tem que pagar as contas de Brasília, não tem? Alguém tem de pagar a pensão das filhas "solteiras" dos militares, os extravagantes Fundo Eleitoral e

Fundo Partidário, os carros e as residências oficiais, os gastos do cartão corporativo, os salários das tropas de assessores, fora o trocado para as rachadinhas...

O Brasil custa caro, vem com defeito de fabricação e não tem direito a troca. Até para trabalhar é complicado por aqui.

O pandemônio tributário, além de escorchante, é de uma complexidade inacreditável, o que cria um ambiente agreste para contratação e mobilidade empregatícia e fértil para a sonegação de impostos. Os mais penalizados, como sempre, são os mais pobres.

Grandes empresas podem pagar escritórios de contabilidade para fazer o serviço de interpretar os livros sagrados da tributação brasileira. Mas e o pequeno empreendedor, que nem sempre tem esse dinheiro? Vira-se como pode. Perde dias para ficar em dia com seu algoz.

A reforma tributária é prometida a cada eleição, e a cada mandato é deixada para a eleição seguinte. Necessária, mas impopular entre ricos. São muitos os *lobbies* dos patrocinadores do hospício burocrático-institucional em que estamos internados.

Assim como nossa política é de conchavos, nosso capitalismo é de compadrio. Arredio à verdadeira disputa de mercado, detesta inovação e eficiência. Não por acaso, conglomerados fazem o que podem para bloquear a liberdade econômica e expulsar eventuais concorrentes, internos ou externos.

Todos, sem exceção, acreditam-se merecedores de favores governamentais, porque os produtos ou serviços que oferecem são essenciais, ou estratégicos, ou nacionais, ou só porque sim.

Quanto menos concorrência e mais desigualdade de condições, menor será a preocupação com produtos melhores e preços mais baixos. Isso explica por que o empresário brasileiro, em geral, é viciado em isenções e subsídios, duas pequenas palavrinhas que representam duas grandes distorções.

Moral da história: quando o governo desonera um setor, onera outro. O problema dos incentivos a setores da economia é que são arbitrários e, enfim, injustos. Não sou economista, mas sei que a economia é um processo que tem sua lógica.

Vereadores, deputados, ministros ou presidentes não têm o poder de subverter a lógica econômica, mas acreditam que sim. Tentam de tudo. Até que o mercado neutralize as ameaças da irracionalidade, muita gente sofreu com a loucura legiferante.

Marcos Lisboa, economista e atual presidente do INSPER, em um artigo para a *Folha de S.Paulo*, disse que "a imensidade das distorções resulta em um equilíbrio disfuncional. Cada um sabe do benefício que recebe, opondo-se a uma reforma que equalize a regra. Desconhecem ou ignoram, contudo, os tributos que pagam, camuflados nos preços mais altos dos bens e serviços necessários à produção".

Sem uma ampla reestruturação tributária, todo mundo perde, até quem ganha.

A REFORMA TRIBUTÁRIA é urgente. A reforma política é tão urgente quanto.

Desde a redemocratização, enfrentamos dois processos de *impeachment* e, a despeito de um veranico de estabilidade econômica e institucional, com o Plano Real, estruturado por uma equipe brilhante, não foram poucos nem modestos os esquemas de corrupção.

O PT fez da corrupção uma obra de arte da má política. Lula, eleito com expressiva votação e governando com altíssima aprovação, a ponto de Barack Obama tê-lo descrito, em 2009, como "o político mais popular da Terra", anos depois viu a cúpula de seu partido ruir para que ele próprio ficasse em pé.

Líderes petistas eventualmente foram presos e assumiram a culpa da negociata que, obviamente, envolvia o poderoso chefão. Ele, que sempre soube de tudo, que sempre deu as cartas no seu jogo, fingiu que desconhecia o chamado Mensalão.

Escapou ileso, com a conivência da "oposição" (bota aspas nisso). Foi reeleito e fez sua sucessora. A desastrada Dilma Rousseff pedalou até levar as contas públicas ao desastre, perdeu a capacidade de negociar e saiu do cargo para entrar na anedota.

Nesse ínterim, a Operação Lava Jato, capitaneada pelo juiz Sergio Moro, puxou o longo fio que desnudaria os meandros da propina e terminaria na prisão de Lula. Querem entender tudo? Leiam *A organização*, da jornalista Malu Gaspar. A parceria público-privada entre partidos e empreiteiras está lá descrita com riqueza de detalhes.

A despeito de questões processuais que podem ser discutidas, mas não vêm ao caso, o fato é que a força-tarefa revelou um vasto e coordenado esquema de corrupção, de proporções nunca vistas, que superou tudo o que já tínhamos conhecido antes.

Se o Mensalão consistia em corromper o Congresso em benefício do governo de ocasião, com o Petrolão o país se descobriu uma sucursal da construtora Odebrecht.

Bilhões de reais foram roubados do bolso do brasileiro e desviados para fins escusos, antirrepublicanos e criminosos. Dinheiro que encheu cofres de políticos e partidos.

Isso tudo aconteceu nos governos petistas. Logo, a responsabilidade pelos crimes tem de ser investigada e atribuída a quem os cometeu. Na melhor e mais inocente das hipóteses: se Lula e Dilma não sabiam de nada, que tipo de líderes eles foram?

A anulação das sentenças não apagará a história. Os fatos são os fatos. A corrupção é a corrupção. "Ou por acaso nunca existiram R$ 54 milhões em dinheiro vivo num apartamento de Geddel Vieira Lima? Ou por acaso Antonio Palocci não devolveu milhões para os cofres públicos? Ou por acaso a Petrobras não recebeu de volta mais de R$ 6 bilhões, entregues pelos que a haviam roubado? E nem existia o departamento de propinas da Odebrecht, conforme confessaram seus donos e executivos?", indagou oportunamente o jornalista Carlos Alberto Sardenberg em artigo para *O Globo*.

E nós estamos cansados de crimes sem castigo. Do bandido de colarinho-branco aos dois homens numa moto, o cidadão comum é achacado pelo guarda da esquina e pelo "dono" do bairro; pelo vereador e pelo ministro; pelo traficante e pelo miliciano.

Os verdadeiros punidos somos nós. Por isso o país é — ou parece — inviável. A impressão é que viver aqui virou um ato de heroísmo, uma luta diária, um beco sem saída.

Revisito o grande jurista Rui Barbosa, com seu apelo desafortunadamente atual, como se tivesse sido pronunciado ontem:

> De tanto ver triunfar as nulidades, de tanto ver prosperar a desonra, de tanto ver crescer a injustiça, de tanto ver agigantarem-se os poderes nas mãos dos maus, o homem chega a desanimar da virtude, a rir-se da honra, a ter vergonha de ser honesto (...) Essa foi a obra da República nos últimos anos!

O que mais temos visto triunfar são as nulidades, que desfilam pelos corredores do poder como se notáveis fossem. O que mais temos visto prosperar é a desonra, que de tão habitual já se confunde com a virtude. O que mais temos visto crescer é a injustiça, que se exibe no sorriso cínico dos criminosos. O que mais temos visto se agigantar são os poderes nas mãos dos maus, que não precisam se preocupar com os castigos que não recebem. Impotentes diante de cada vez mais Eduardos Cunhas e Elizes Matsunagas vagando livres, leves e soltos, não é por acaso que o cidadão desanime da virtude e admire o ilegal; dê gargalhadas diante da honra e respeite a malandragem; se envergonhe da honestidade e seja despudorado na esperteza. A República já nem velha é. Para ser velha, precisava estar viva.

NÃO À TOA, o mundo nos olha com desconfiança. Mas nem sempre foi assim.

A tradição diplomática brasileira sempre foi de primeiro nível. Os discípulos do Barão do Rio Branco, com formação qualificada e espírito cosmopolita, construíram uma imagem do Brasil que está desbotando. Hoje, somos o vizinho maluco no condomínio das nações.

Nosso desajuste não se deve apenas, ou principalmente, à difícil integração comercial, mas também às posições cada vez mais questionáveis em matéria de direitos humanos, convicções democráticas e proteção ambiental.

Lula, a despeito de sua popularidade, já nos envergonhava com o apoio a ditaduras mundo afora, da América Latina ao mundo árabe, de Daniel Ortega (Nicarágua) a Mahmoud Ahmadinejad (Irã). Para ele, existem ditaduras e ditaduras, democracias e democracias. Tudo depende do vetor ideológico.

Com Jair Bolsonaro e sua visão conspiracionista e tacanha, suas declarações estapafúrdias e sua miopia institucional, nosso país está virando um corpo estranho no processo da globalização. Se continuar, logo será expelido.

John Kenneth Galbraith, consagrado economista norte-americano e conselheiro dos presidentes John F. Kennedy, Lyndon Johnson e Bill Clinton, afirmou que "todos os grandes líderes têm tido uma característica em comum: a disposição para confrontar inequivocamente a principal ansiedade do seu tempo. Isto, e não muito mais, é a essência da liderança". Na maior e mais terrível catástrofe humanitária das últimas décadas, a pandemia de covid-19, Bolsonaro poderia ter emergido como estadista, mas se provou incompetente além do aceitável. Ignorou as melhores práticas sanitárias e pagou para ver.

Viu milhares e milhares de mortos. Grande parte, vítimas da doença e do seu descaso. Não havia justificativa possível para tanto negacionismo. Mas ele negou até o fim. Negou até a morte.

Assim como negou qualquer sinal humanitário à Ucrânia, preferindo entender os "motivos" do agressor, Vladimir Putin, autocrata que daria orgulho a Hitler e Stalin. Escolheu o lado errado da história, no que foi acompanhado pelo adversário siamês, Lula da Silva.

Salvo os fiéis das seitas de Lula e Bolsonaro, o centrão do bolsopetismo, ninguém mais suporta essa polarização, essa rinha de condenados e condenáveis, isso porque os extremos se tocam e se retroalimentam com o mesmo intuito: vampirizar as forças dos brasileiros e prometer a eles não a vida eterna, mas o caraminguá do daqui a pouco.

Não se trata de falar em "terceira via" eleitoral, mas de uma verdadeira abertura democrática que não nos encurrale entre os muros da chantagem política. Queremos ver acima dos muros. Queremos novas Diretas Já, porque continuar, eleição após eleição, escolhendo entre o sujo e o mal lavado é como participar de uma eleição indireta: o sistema já escolheu por nós, e nos cabe legitimar nossa desgraça.

Realmente, ser brasileiro não tem sido nada fácil.

NOSSAS ELITES, em vez de apontar caminhos, bloqueiam saídas.

O jurista Raymundo Faoro, em livro clássico, denunciava "os donos do poder". Na formação do Estado brasileiro, o patrimonialismo é uma ideologia sem ideias. Na confusão entre público e privado, a única lei que pega é a lei de Gerson.* Daí se entende a frase que costuma ser atribuída ao ex-presidente francês Charles de Gaulle: "O Brasil não é um país sério." Aqui, a exceção vira regra, a carteirada substitui o mérito, o jeitinho é nossa resposta à falta de jeito para a ética.

Nossa elite é geneticamente atrasada, e se movimenta com a arrogância de uma realeza sem reinado. Como dizia Stanislaw Ponte Preta, "a prosperidade de alguns homens públicos é uma prova evidente de que eles vêm lutando pelo progresso do nosso subdesenvolvimento".

Nossos oligarcas não vivem no Brasil — vivem *do* Brasil. "Último país a acabar com a escravidão", observou Darcy Ribeiro, "tem uma perversidade intrínseca na sua herança, que torna a nossa classe dominante enferma de desigualdade, de descaso."

A falta de educação — formal, mas também humanística — não é problema exclusivo dos mais pobres. Os filhos dos ricos são mal-educados — e às vezes simplesmente maus. Materialistas, inconstantes e superficiais, falta a eles — a nós todos — uma cultura de patriotismo e abnegação.

Não pense o leitor que acuso sem me autoavaliar, que reprovo o comportamento alheio sem antes fazer um exame de consciência. Sei de onde vim, sei quais são as condições em que nasci e fui criado. No entanto me ensinaram outros valores, me educaram com outra régua. Ao contrário de tantos que conheci, que, na primeira opor-

---

* Em 1976, durante uma propaganda do cigarro Vila Rica, o jogador Gerson (da seleção tricampeã do mundo em 1970) disse: "Gosto de levar vantagem em tudo, certo? Leve vantagem você também, leve Vila Rica!" A frase pegou mal.

tunidade, dão as costas ao país e só voltam aqui para fazer piquenique étnico: por detrás dos blindados, olham os brasileiros de longe, como se fossem de espécie diferente, como se seus conterrâneos fossem curiosidades com as quais é preciso ter cuidado.

Provincianos da globalização, acham feio tudo o que não é higienizado, pasteurizado, embalado a vácuo. Estranham sotaques, desprezam trejeitos, desconhecem costumes. No exílio voluntário de sua alienação, fingem-se de mortos para os problemas do país — e não sabem que, sob certo sentido, já estão mortos mesmo.

Espoliadores, os "donos" do Brasil tiram dele o supérfluo e o essencial. Enxergam o Brasil como fonte de receita, não como oportunidade de investimento. Dissociam seu destino do futuro do país, auferindo os dividendos da nação e eliminando o risco Brasil do seu portfólio de investimentos dolarizados. Reproduzem modos e práticas senhoriais. Atualizam o racismo e a discriminação. E, quando confrontados, quando minimamente questionados, perguntam, afirmando: "Você sabe com quem está falando?"

Nós sabemos com quem estamos falando. Cabe devolver a pergunta: saberão eles do que o brasileiro é capaz? Somos assim, mas poderíamos ser outra coisa. Difícil? Sem dúvida. Impossível? De jeito nenhum.

Quando o Brasil deu certo, suas elites se dedicaram a contribuir para a construção do país. Foi a força da união das elites políticas, econômicas, culturais e intelectuais que permitiu que o Brasil se tornasse uma nação livre e independente em 1822. Foi essa mesma união que resolveu a grave crise de governança que passávamos em 1889 e levou ao nascimento da República. Foram o povo e suas elites políticas, econômicas, intelectuais e militares que geraram a Revolução de 1930, abrindo caminho para a industrialização do Brasil e para um ciclo de crescimento que duraria pelo menos até os anos 1980. Novamente nos unimos para superar os vinte anos de autoritarismo em 1985 e devolvermos o Brasil para um regime plenamente democrático. De artistas a locutores esportivos, empresários, grandes veículos de imprensa e mesmo os militares que lideravam o regime anterior, caminhamos juntos rumo à liberdade. Por fim, foi essa mesma união envolvendo as elites da comunicação, da política, da economia e o melhor da intelectualidade brasileira que garantiu que o Plano Real encerrasse em 1994 uma luta que já durava mais de uma década contra a hiperinflação que corroía nosso poder de compra e impedia qualquer planejamento de médio ou longo prazo.

Já quando entramos em crise, tivemos elites omissas, que preferiram ficar encasteladas, em fortalezas seguras, enquanto o país pegava fogo. Nos Estados Unidos, um bom exemplo de quanto a elite gosta de sua história e a entrelaça com o destino da nação se encontra na família Clinton. Tanto a família Rodham, da parte de Hillary, quanto a família Clinton, da parte do marido, Bill, conseguem remontar suas origens ao *Mayflower*, o navio que em 1620 trouxe os primeiros colonos ingleses para a América. Pode parecer cafonice essa coisa de genealogia e origens, mas mostra quanto as elites americanas alinham o destino das próprias famílias com o destino do país.

E é por isso que acredito no Brasil.

Viajei bastante, conheci diversos países e culturas. Fora, percebi que gostava ainda mais daqui, me reconheci ainda mais brasileiro. Ter morado nos Estados Unidos e, de lá, ter visto nosso país com distanciamento me ensinou muito.

O EXÍMIO FRASISTA Nelson Rodrigues é até hoje considerado um dos mais influentes jornalistas e dramaturgos da história brasileira.

Atualíssimo em 1957, escreveu: "O brasileiro gosta muito de ignorar as próprias virtudes e exaltar as próprias deficiências, numa inversão do chamado ufanismo. Somos uns Narcisos às avessas, que cospem na própria imagem." Temos defeitos, enormes defeitos, mas não estamos condenados a repeti-los. A história se faz diariamente. A imagem de um país pode ser outra — pior ou melhor.

Comecemos reimaginando o Brasil até mesmo nos seus aspectos mais elementares. Longe de mim pregar um tipo ultrapassado de patriotismo, mas precisamos resgatar os símbolos nacionais dos extremistas.

Precisamos apostar na democracia racial não como ponto de partida, mas como linha de chegada. Se existe um país no mundo vocacionado para isso, é o Brasil. Não se trata de empurrar o racismo para debaixo do tapete dos preconceitos, mas de neutralizar seus efeitos e, com o tempo, acabar com ele.

A miscigenação, que já foi vista por cientistas sociais racistas, no começo do século XX, como uma fraqueza, na verdade é nossa força. Nós temos todas as cores. Nós temos todos os sabores. Nós falamos o idioma universal da diversidade, que está entranhada nos ossos, misturada ao sangue, estampada na pele. Ainda sobre história: o Brasil teve um presidente negro. Nilo Peçanha governou o país entre 14 de junho de 1909 e 15 de novembro de 1910, tendo assumido após a morte de Afonso Pena. Mais uma mostra da nossa identidade única, que assimila e contempla a todos.

Que Brasil somos? Todos. De um modo ou de outro, encontramos nossos espaços, compartilhamos nossas crenças, dividimos nossas esperanças. Como bem declarou o ex-presidente Fernando Henrique Cardoso: "Tolerância é a arte da aceitação do outro. E o Brasil é um país dotado disso." Só isso explica como foi possível, num verdadeiro continente, tal nível de integração nacional. Só isso indica como foi possível que não tenhamos nos desintegrado, diante de tantas revoluções, reações e escaramuças, depois de tantos golpes e contragolpes.

Refaço a pergunta de Antônio Risério, escritor e antropólogo baiano, quando se depara com essa revisão pessimista da história nacional: "Conseguimos realizar coisas como o Parque do Xingu, o 14-Bis de Santos Dumont e a arquitetura do Aleijadinho. Achar que isso não existe é muita mistificação ideológica e desinformação. O Brasil não é uma ilusão de ótica."

Inspiro-me em Risério para notar que aprendemos o português — e inventamos o português brasileiro. Somos católicos, apostólicos, romanos, mas também umbandistas, pentecostais, espíritas. Nosso futebol é o menos tático entre as grandes escolas — e o mais bonito e vencedor. Nossa música popular é sofisticada como poucas. Nossas diferenças étnicas e culturais existem — mas são resolvidas à mesa do bar, na quadra da escola de samba, nas festas juninas. O brasileiro até hoje não se apropriou de sua identidade porque tem mais de uma.

E por que não festejar isso? Por que trocar o apetite antropofágico pelo rancor ideológico?

Uma pátria é uma experiência comum de todos para todos. Uma nação é um espaço cívico, cultural, além de territorial, em que os indivíduos podem e devem ser felizes cada um à sua maneira. Sem perseguições de nenhum tipo.

Nesse sentido, também é preciso fazer uma crítica a movimentos estúpidos que vilipendiam a história brasileira. Gente que ateia fogo na estátua dos bandeirantes — os responsáveis por garantir as fronteiras que temos hoje — não merece o menor respeito. Não deve sequer ser admitida a qualquer conversa civilizada. Vale o mesmo pra quem tenta julgar o nosso passado com valores do presente.

Extrema esquerda e extrema direita têm essa mania de sequestrar pautas, imagens, cores, símbolos, hinos. Privatizam o sentimento público e, em seguida, a depender de quem acusa quem, interditam o patriotismo saudável.

Por isso tanta gente ficou de repente incomodada por usar uma camisa do Brasil, torcer pra seleção, cantar o hino, hastear a bandeira. De jeito nenhum! O Brasil não é propriedade de ninguém, de ideologia alguma, de partido nenhum.

Se eu gosto de torcer pela seleção, eu torço, e dane-se o presidente em questão! Se eu quero ter uma bandeira em cima da mesa, eu tenho, e dane-se o que o esquerdinha afetado ou o reaça abobado pensem sobre isso.

Outra coisa que precisamos retomar é o hábito de pensar grande. E isso passa por uma cobrança aos nossos intelectuais. Há não muito tempo, tínhamos Roberto Campos, do lado liberal, e Celso Furtado, do lado da esquerda. Ambos pensando em grandes projetos e grandiosos horizontes de longo prazo para o Brasil. Onde foram parar pensadores desse porte?

Para sermos grandes outra vez, precisamos nos unir. E todas as classes sociais precisam de perspectiva de futuro. Lula é um exemplo de quanto a perspectiva de futuro pode fazer alguém lutar e prosperar, indo muito além do que sua origem poderia prever. Retirante nordestino, fugido do Nordeste para o Sudeste, passou fome, viajou dias em um pau de arara. Em uma única geração, Lula saiu da miséria e se tornou um bem remunerado operário de classe média, com casa própria e carro próprio, podendo tirar férias e curtir a família.

Mas isso tudo só aconteceu porque o Brasil vivia um ciclo positivo na economia. Vivíamos a industrialização. Empregos de qualidade eram criados em massa em São Paulo. Sua educação no Senai possibilitou um emprego de qualidade e bem remunerado, e não um mero diploma pendurado na parede de casa. Onde esse país que fornecia perspectivas de inclusão econômica e mobilidade social foi parar?

Insisto que o Brasil tem sido um fardo muito pesado para o brasileiro. Não o Brasil possível, que é um maravilhoso país, mas o Brasil oficial, o Brasil cartorial — dos maus políticos, dos maus cidadãos.

O Brasil tem sido um país inseguro e complicado para se viver, mas não há destino nacional. As opções estão na mesa. Precisamos reformar nosso futuro. A receita não é segredo. É conhecimento compartilhado por economistas, administradores, sociólogos, juristas e políticos.

Em linhas gerais, um Estado eficiente e proporcionalmente menor.

Diminuição de gasto público e de privilégios, primeiro; redução da carga tributária logo em seguida.

Mercados mais livres e abertos à concorrência e às melhores práticas.

Instituições estáveis e justas. Separação real — e não apenas formal — de poderes. Que o Legislativo legisle, que o Executivo execute, que o Judiciário julgue. Já é muito.

Reforma política e combate à corrupção. Preservação ambiental sem demagogia nem instrumentalização ideológica.

Um país acolhedor a todos aqueles que queiram trabalhar, estudar, criar, produzir, colaborar, mas também atento àqueles que porventura precisem de mais ajuda, de alguma assistência. Que promova a harmonia entre maiorias e minorias em torno de um bem comum. Que a Constituição, embora tenha seus defeitos, seja respeitada. Foi o acordo que fizemos.

Um país defensor de liberdades individuais e com preocupação coletiva, que não vai resolver as coisas ofendendo e xingando seus semelhantes. Um país que renegue e combata os grupos das sombras que insistem em sequestrar e contaminar o debate público. Ainda tem brasileiro demais que acredita que isso aqui é um país honesto e gentil, e está mais do que na hora de reencontrarmos a face desse Brasil que o mundo ama e a gente ama que o mundo ame.

Um país que premie o mérito, mas que estenda a mão aos menos favorecidos. Um país, sobretudo, em que fazer o certo não pareça tão errado. É nisso que sinceramente acredito.

Acredito, como o grande escritor Ariano Suassuna, que "o otimista é um ingênuo; o pessimista, um amargo. Bom mesmo é ser um realista esperançoso".

Sou um realista, mas um realista esperançoso. Pratico o pragmatismo, mas o pragmatismo de meios, não de fins. O fim é uma utopia ainda possível. O fim é um "paraíso restaurável", como o chamou Jorge Caldeira em livro recente.

Do Oiapoque ao Chuí, dos centros urbanos às periferias, do município mais populoso na pujante e pulsante locomotiva de São Paulo ao menos populoso na pacata e recôndita Serra da Saudade, Minas Gerais, temos que ecoar essa mensagem de esperança e crescimento para cada brasileiro de boa-fé. Porque o Brasil é muito, muito grande, para se conformar em ser tão pequeno.

EPÍLOGO
VERÁS QUE UM FILHO TEU NÃO FOGE À LUTA

"Audácia, mais audácia, sempre audácia!"
GEORGES JACQUES DANTON (1759-1794),
advogado, político e revolucionário francês

É DIFÍCIL CONTAR UMA história enquanto ela acontece, e foi o que tentei fazer. Tanto sobre minha vida quanto sobre a vida do país que amo — e que não deixo. Assim como não deixo que militares ou militantes sabotem os sentimentos que tenho pelo Brasil.

Sou bastante jovem e, naturalmente, não estou aqui para ensinar, mas para aprender. Tenho mais dúvidas que certezas, tenho mais perguntas que respostas.

Não podia ser mais feliz a coincidência de publicar estas memórias tão recentes no ano em que se comemora o bicentenário da Independência. O Brasil completa 200 anos de maioridade com muitas contas a acertar. Viver sozinho é mais do que apenas pagar os impostos.

A autonomia é exigente. Os anos passam, as décadas se esfarelam, a confiança envelhece. De geração em geração, vamos perdendo o sentido de urgência, vamos nos acostumando mais do que deveríamos com a fatalidade. Por isso — e por outras razões — é que às vezes tomamos por viçoso o que é caquético, por maduro o que está podre.

As eleições estão aí de novo, e temos apostado as mesmas fichas no viciado cassino da utilidade. Voto útil! Voto útil! Voto útil!, é o que nos esfregam na cara aqueles que estão descrentes das mudanças.

É só isso o que nos resta, então? Assumir o cabresto do nosso cinismo e seguir em frente, sem olhar para os lados, sem fazer mais perguntas, sem ouvir novas vozes?

Não me conformo e não quero me conformar. Daqui a trinta e tantos anos — suponhamos, em 2061 — terei a idade que o presidente que nos desgoverna tem hoje. Se eu não fizer nada, se meus amigos não fizerem nada, os problemas de hoje serão maiores amanhã. Os nossos problemas serão os problemas dos nossos filhos e netos.

Será isto o que lhes deixaremos de herança: o nosso tédio ideológico, a nossa preguiça democrática? Teremos perdido a rebeldia moral que nos empurrava adiante e alimentava nossa alma com os sonhos de uma utopia viável?

Estamos, sim, em apuros. Barbaridades eleitorais não acontecem por acaso. O fracasso também exige esforço. Precisamos fazer valer a luta dos que vieram antes de nós, ainda que não consigamos concluir todo o trabalho. Ninguém conseguirá. Mas cabe a nós — a mim, a você, leitor — lutar também, lutar com as forças que tivermos, para que os que vierem depois tenham a chance de continuar lutando e sonhando com um país decente. Um país que mereça se orgulhar de sua independência.

Quando voltei pra casa, depois de minha estada nos Estados Unidos, onde considerei ficar, um improvável roteiro começou a ser escrito.

É interessante, reconheço, ver minha vida ser contada, escrutinada e interpretada por quem a vê de fora. Escrever este livro foi um jeito que encontrei de passar a limpo tantas experiências em tão pouco tempo, sem me perder em meio a impressões, memórias ou versões. Um acerto de contas comigo mesmo.

Amadureci muito nos últimos anos, mais do que poderia imaginar.

Entendi que não existem condições ideais, e os enganos, quando de boa-fé, são o preço que se paga pela coragem de participar. As posições assumidas, contudo, não são compromissos com o erro.

No confronto entre expectativa e realidade, me acostumei a mudar de ideia. Quem não muda de ideia é burro ou é desonesto. (Alguns, as duas coisas.) Vi, ouvi, vivi coisas demais para continuar igual. Mas os princípios que me orientam são os mesmos.

Nas dobras dos acontecimentos, nas sobras dos desacordos, apurei meu olfato para distinguir o mau cheiro da política — nova ou velha. Ele facilmente se confunde com o odor das melhores intenções. Temos de ser vigilantes.

Conversei com muita gente, abri muitas gavetas, revirei muitas frustrações para compartilhar, da maneira mais sincera possível, minhas reflexões e esperanças.

Quero que este livro seja, mais do que um documento do que se passou, uma carta que daqui a muitos anos chegará a mim. Lanço-a no oceano ignoto do futuro, esperando que ela encontre o André Marinho de então.

Que ela encontre esse outro André — já mais velho, já mais experiente, já mais experimentado. Encontrando-o, que ele se reconheça nela, se não nos compreensíveis exageros de juventude, pelo menos nos valores que nunca se gastam.

Que esse outro André viva num país mais justo, mais livre, mais soberano. Para todos, não para alguns. Que o Brasil tenha reencontrado sua vocação para a beleza. Que nosso povo não tenha motivos para mais nenhum complexo de vira-lata.

Não é pedir muito. É pedir o que todos merecemos.

Por isso fico. Por isso permaneço. Por isso insisto.

Deus sabe o que será da minha vida, dos caminhos que seguirei, dos perigos que encontrarei numa curva qualquer do possível. Mas é disso que gosto, é isso o que quero, é esse chão que piso.

Quero rir muito, mas muito mesmo, nos próximos anos. Sobretudo quero rir com o Brasil — e não do Brasil.

Em janeiro de 2019, conduzi a primeira entrevista da minha carreira, naquela que seria a última entrevista de Ricardo Boechat, o inesquecível jornalista que nos deixaria precoce e tragicamente poucos dias depois, em 11 de fevereiro. Ele foi o mais próximo que conheci de unanimidade em seu meio. Padrinho de batismo da minha irmã Maria, e a quem eu chamava de tio, nos disse certa vez: "Pessoas com medo não mudam o país."

Esse conselho ficou estampado na minha alma como uma cicatriz. Cometerei outros erros, festejarei outras vitórias, mas rezo para que o medo não me paralise. O país merece mais que nosso medo. O Brasil merece a teimosia do nosso amor.

Com fé, seguiremos juntos.

São Paulo, 12/6/2022

POSFÁCIO
VELOCIDADE DA LUZ

CARLOS ANDREAZZA

"TODO MUNDO ERRA SEMPRE. Todo mundo vai errar." O samba do grupo Revelação simplifica — resume — uma das condições humanas. A falibilidade. Nós erramos. Avaliamos mal. Fazemos escolhas erradas. O tempo todo.

Os erros, contudo, têm nuances. Nem sempre são absolutos. Quase nunca irreversíveis. O clichê dirá que o importante é como os enfrentamos. Clichês às vezes estão certos. Ou melhor: clichês têm suas verdades. Enfrentar um erro não o apaga. Não o anula. Faz bem, no entanto, saber que é possível combater seus efeitos.

Este *O Brasil (não) é uma piada* também é a história de um indivíduo diante de seus monstros. Que escolhas fazer? Que escolhas fazer ante a própria matéria de uma escolha errada? O título já deixa claro que somente o humor não basta. A nossa existência faz lembrar que a história, livro aberto, só termina quando acaba.

O indivíduo somos nós. O indivíduo somos também nós. O leitor face a seus monstros. Podemos nos bastar — nos resolver — combatendo internamente essas criaturas íntimas, num exercício de fé. Ninguém tem a obrigação de empunhar a espada — a caneta ou o microfone — para esse enfrentamento.

André Marinho o fez. Faz ainda. Fará para sempre. Nem melhor nem pior, a cada um o próprio destino.

"SOU CAPAZ DE AFIRMAR que Bolsonaro disputou receoso de vencer, como um adolescente que sai em busca do primeiro emprego e teme encontrar um."

Marinho é muitas vezes feliz em definições para Jair Bolsonaro. Essa, uma delas. Porque será justo mesmo afirmar que a Presidência da República foi o primeiro emprego de alguém que, no curso de quase trinta anos como parlamentar, constituiu poderosa empresa familiar previdenciária dentro do Estado.

É assustador que esse tipo tenha convencido — tenha erigido mitologia — como antiestablishment, o inimigo do sistema. O vocacionado a ser sócio de Arthur Lira.

Não tinha como dar certo.

"TODO MUNDO ERRA SEMPRE. Todo mundo vai errar." A leitura deste livro me lembrou desse refrão. Ou talvez a lembrança do samba tenha derivado das provocações, das reflexões, que esta obra instiga. Não sei. Sei que a obra desafia.

Como leitor, também repassei os meus erros. É um dos méritos do trabalho de André Marinho aqui. O autor tem genuíno interesse no que o outro pensa. Como ele vem de peito aberto, corajoso, ao mesmo tempo disposto ao "diálogo possível", para citar Francisco Bosco, o leitor é convidado a se rever — a remexer nas próprias memórias.

Não é fácil se repassar. Nem sempre será bonito. Assim é o mundo real. Mas nos expia um tanto — Marinho é generoso, inspirador, nos exemplos concretos que dá — repassar também a forma como batalhamos contra os nossos erros. As risadas ajudam. A fé, qualquer que seja, idem.

224

Esse é um dos enredos deste livro. A peleja não está — raramente estará — perdida. Nunca para quem tem fibra moral.

"ESTA FOI UMA DAS GRANDES lições que a política me deu, e da qual nunca me esquecerei: nunca duvide do impossível. Às vezes, ele é o mais provável de acontecer."

A leitura deste livro me fez lembrar também de quando estive pela primeira vez com Paulo Guedes, personagem cuja miudeza tem lugar nestas páginas. Era abril de 2018. O economista queria conhecer o editor de livros, colunista de jornal e comentarista de rádio que, sendo de direita — publicou o Olavo! —, era duro crítico de Jair Bolsonaro.

Guedes, que já pulara do barco de Luciano Huck para a jangada do Capitão, queria entender por que eu era cético, descrente mesmo, sobre a possibilidade de aquele arranjo — vendido como liberal--conservador — dar certo. Não o convenci.

Tenho, ou tento ter, cuidado com o emprego de conceitos. Afinal, não faz muito, Geraldo Alckmin, um extremista religioso!, era fascista. Né? Embora não raro com práticas fascistoides, Bolsonaro mais precisamente se encaixa num populismo autocrático.

Minha leitura era a de que a natureza do bolsonarismo, geradora de instabilidades, propagadora de teorias conspiracionistas, seria avessa ao ambiente de previsibilidade necessário a reformas estruturais. Expliquei isso a Guedes; que o candidato dependia, para ter existência competitiva, do chão — do solo da República — em frangalhos. Nunca mudaria. Ao contrário, radicalizaria: era a tendência.

O tempo mostraria quem estava certo. Àquela altura, porém, nem tão certo assim, eu avaliava, com admiração, que Guedes — muito bom de palestra — tinha um programa reformista liberal a executar...

Todo mundo erra. E os erros, repito, têm nuances.

EU TINHA CERTEZA de que Bolsonaro não seria eleito presidente. Falei isso publicamente, no rádio. Expliquei a Guedes as razões, um argumento construído à luz da história eleitoral brasileira, que fazia sentido sob a nossa experiência democrática do pós-ditadura, mas que se erigia sobre um fundamento — e o futuro ministro da Economia me disse isso — que não existia mais. O chão já estava em frangalhos, o da República.

Esse chão, o mesmo que inviabilizaria qualquer agenda reformista liberal (na hipótese de que houvesse uma), estava no ponto de instabilidade para que Bolsonaro vencesse. Guedes enxergava a ruptura. Estava certo. Terá sido a última vez.

Enxergava a ruptura, pela qual venceriam. Não enxergava, entretanto, que sua ideia liberal seria impossível sem a dimensão política. E lá foi o liberal estritamente econômico — isso tem história — servir a um autocrata, dilapidador de instituições. A outra possibilidade sendo a de que avaliasse que menos República, donde menos democracia, lhe facilitaria o serviço.

"SEJA UMA NOTA alcançada, seja um nó de gravata bem-feito, o cuidado consigo é cuidado com os outros. (…) Na vida pública, a depender do contexto, vestir-se com apuro, além de boas maneiras, sugere um sentido de ética, de respeito, de civilidade."

André Marinho tem "predileção pela formalidade estética". Está sempre impecável. Daquele tipo nunca amarrotado, que parece ter um ar-condicionado interno. É um cavalheiro. Educadíssimo. Essa filiação "quase maneirista" se faz ver na forma como escreve. Li estas páginas em um dia. O texto é bom. Agradável. Flui. Engaja.

Idem a conversa.

Me lembrei, então, de quando o conheci. Era 28 de setembro de 2018, 22 dias depois do atentado que quase matara Bolsonaro, o primeiro turno eleitoral logo ali, dobrando a esquina. Marinho me convidara a palestrar num evento para jovens, no Rio de Janeiro.

Ótimo anfitrião, me deu toda a liberdade para dizer o que eu quisesse. Em resumo, que Bolsonaro, agitador corporativista militar, era um reacionário conspiracionista e traidor, dinamitador da atividade política, e a única família brasileira que defendia era aquela que, tudo indicava, moraria no Alvorada a partir de janeiro de 2019. Essa, sim, era sua pátria.

Àquela altura, sob o efeito paralisador que a facada exercia no ritmo das campanhas, eu já me convencera de que ele era favorito. Não haveria máquina de moer capaz de derrotá-lo. Os Marinho estavam convencidos disso desde muito antes. Estavam certos. Bolsonaro era a máquina de moer, o que surfara a onda da "revolta dos caminhoneiros", o que se beneficiara da arapongagem de Janot contra Temer, produto — incontornável — da descrença política em grande parte aprofundada pelo lavajatismo. Minha opinião atual é de que venceria mesmo sem o atentado. Eram muitas as forças a seu favor.

Paulo Marinho — pai de André, um cavalheiro também, importante personagem deste livro — pediu na ocasião a palavra para me dizer que o Capitão não era nada daquilo. Hoje decerto concorda comigo sobre Bolsonaro.

Todo mundo erra. Todo mundo acerta. Erros e acertos têm nuances.

"A QUEM ME PEDE uma definição política, ofereço a seguinte equação: meu conservadorismo nasceu das colisões com os progressistas nas salas de aula e nos campi em que estudei, e meu liberalismo realista foi resultado da convivência com reacionários e idólatras após as experiências na campanha de 2018 e na Jovem Pan. Não foi difícil perceber que há mais em comum entre os dois lados do que eles acreditam. Por exemplo, o moralismo de goela, a virtude de atacadão."

André Marinho, um republicano de cepa americana, de filiação Reagan, que cita Russell Kirk e teve a cabeça feita por Hayek, e cujo desprezo pelo comunismo tem lastro no que documenta *Arquipélago Gulag*, bebeu da fonte neocon, inclusive do que tem de pior.

Todo brasileiro de direita formado entre os anos 1990 e 2000 teve, sob maior ou menor incidência, contato com a radicalização. Marinho surgiu na cena midiática brasileira como um entre vários jovens estimulados à lacração — confundida com debate público — pela atraente contracultura de direita que se avolumara, no Brasil, a partir de 2013. Não estava pronto. Ninguém estava; certamente não para o que viria.

Morando nos Estados Unidos, Marinho acompanhou de perto a ascensão de Donald Trump, figura cuja persona o encanta, encarnação do longo processo de descolamento entre representantes e representados; a competitividade reacionária como produto da instrumentalização de ressentimentos profundos na América invisível.

Era natural, inteligente que é, que, de volta ao Brasil, captasse o espírito do tempo e percebesse com antecedência a picada aberta para o avanço de Bolsonaro.

Deveria ser óbvio para mim. O Capitão foi muito bem recebido pelo mercado. Candidato da banca já no primeiro turno. Eu vi. Vi a forma como, já com Guedes por fiador, a turma aplaudia de pé, às gargalhadas, o então deputado defender seus planos econômicos para a competitividade da banana do Vale da Ribeira frente à equatoriana. Não era somente o sentimento antilulopetismo. Até hoje o mito conta com o apoio do que chamei de *Daniel Silveira da Faria Lima*.

Marinho entendeu que aconteceria; que o avanço de Bolsonaro era implacável. Ao mesmo tempo, desprovido dos meios para compreender que o que avançava era uma reinterpretação — impulsionada pelo extremismo das redes — do integralismo. Uma reinterpretação

228

do Integralismo; mas com milhões de votos. Uma força eleitoral tremenda cuja dieta, uma vez no poder, seria composta da carne de tudo quanto significasse República.

Faltou apetrecho. Jamais fibra moral. Marinho amadureceu. Amadureceu em campo. Coscorou, como se diz. Este livro é a expressão desse processo. Exposto ao messias, eis o cético; alguém que "mudou de expectativas para não mudar de princípios".

"UM ARRUACEIRO BUROCRÁTICO, porque *outsider* nunca foi."

Esta obra surpreenderá a muitos. Há uma plataforma política esboçada aqui — e penso ser questão de tempo até que o autor se sinta preparado para disputar eleições. O conservador Marinho tem — oh! — consciência social.

A leitura deste trabalho não deixa dúvidas de que estuda. Hoje sabe que a previsão de Gustavo Bebianno, de que o "projeto Bolsonaro" — sendo Bolsonaro o eleito, e sendo Bolsonaro um maníaco de perseguição — poderia ir "além de suas limitações", era delirante.

Não que Bebianno estivesse completamente errado. Se as limitações de Bolsonaro, tratando tudo como esquete, seriam a inviabilidade de um governo, serviram como arte à campanha *sui generis* que o elegeu. O eleitor, enojado com a "política tradicional", via nas "deficiências do Capitão um atestado de sinceridade"; "o mito" de resto beneficiado pela incapacidade nossa, da imprensa, de lhe perguntar sobre dívida pública em vez de kit gay.

É verdade que o atentado, motivo para que não fosse mais a debates, reduzira muito a superfície para exibição da própria ignorância. Esteve em dois. No último a que foi, passou vergonha ao ser questionado por Reinaldo Azevedo sobre matéria econômica. Vexame não explorado pelos adversários. E foi só. Ganhou deitado.

Este livro tem algumas informações inéditas; como a de que, entrando na Globo para uma sabatina, Bolsonaro perguntou ao filho Flávio, ora senador, sobre o que seria pacto federativo: "Tem a ver com os impostos, pai, os impostos."

Senador da República!

"ERA UMA CAMPANHA QUE, a princípio, não tinha nada. Só tinha (intenção de) voto."

Nenhum capítulo deste livro é melhor do que aquele em que o autor reflete sobre o ofício do imitador. O imitador: "um antropólogo do gesto", "um cientista do tique nervoso". Chama-se "Fazer humor quando é proibido rir".

Marinho é, antes e acima de tudo, um artista. E esta obra também é um olhar sobre a vocação — sobre o chamamento da vocação.

Vocação que não aflora, senão mui raramente, sem trabalho. O talento é produto de esforço. Da observação obsessiva da persona a ser imitada. André Marinho é um obsessivo na captação de seus objetos. Talvez seja o maior imitador do Brasil, arte nobre entre as possibilidades do humor. O seu Ciro pauta o Ciro.

Foi essa genialidade — palavra que uso com parcimônia — que o levou ao *Pânico*. Há um capítulo inteiro a respeito.

É curioso que, tendo escrito o que escrevi acima, trate da passagem de Marinho pela Jovem Pan para abordar a cultura da radicalização. Fazer o quê?

Trabalhei na Jovem Pan, de onde escolhi sair em 2019. Participei algumas vezes do *Pânico*. Fui bem tratado. A leitura deste livro, no entanto, me ajudou a entender — ou, mais exatamente, a materializar — alguns sentimentos; a fundamentar, em palavras, a razão de querer mudar, sair dali.

O *Pânico* exemplifica e potencializa o modelo de entretenimento da casa, que então já se espraiava também ao jornalismo. Jornalismo de entretenimento. Entretenimento de conflito. O refluxo estava encomendado. Não tardaria até que a cultura gerada a partir do programa, e que definiu a identidade da Pan, voltasse depois de tomar o jornalismo — diante do espetáculo midiático binário em que se transformara a vida política nacional — para contaminar o *Pânico*. Não demorou para que resultasse — valendo a glória interna — em pancadaria.

O *Pânico* compreendeu, como a Pan compreendera, que o público bolsonarista, sectário, pode não ser o maior, mas é fiel e consumidor.

Todo mundo que trabalhou na Jovem Pan foi estimulado a se mover para o extremo de si mesmo. Para buscar o embate. Tinha, tem, um mercado ali. O do jornalismo de trocação. De socos. Era o ar que se respirava. Não me reconheço — mais pelo tom do que pelo conteúdo — em vários de meus comentários de então. Raivoso. Não raro jogando pra galera. Nem percebia. Errei demais. Mas nem sempre.

Me lembro particularmente de uma participação do jornalista Leandro Demori no *Pânico*. Queriam que eu atacasse o cara. Passaram a me provocar por não vestir o papel. Fui criticado depois — expressamente criticado — por falta de combatividade contra um convidado. Ele havia liderado a revelação do material conhecido como Vaza-Jato. Eu li o conjunto.

Independentemente das corrupções cometidas pelo PT — e não tenho dúvida de que houve pilhagem do Estado nos governos Lula —, o estado de direito não pode prescindir da forma correta para investigar, denunciar e condenar. Para mim estava claro, graças ao trabalho de Demori e parceiros do *Intercept*, que Sergio Moro e procuradores da Lava Jato haviam corrompido os meios para prender Lula.

E não há corrupção, segundo compreendo o mundo, que justifique um processo corrupto.

Eu me considerava um moderado na Jovem Pan. Eram tempos românticos... Eu era um isentão. Seria classificado como comunista se trabalhasse na casa no período em que o pugilista Marinho lá esteve.

TODOS NÓS, OS QUE ERRAM, viventes no Brasil depois do julgamento do mensalão, viventes neste país na última década, a de nossa depressão política, devemos enfrentar os nossos monstros; devemos enfrentar a nossa contribuição para tal estado de coisas. Cada um à sua maneira. Qualquer que seja, alivia saber que podemos lutar contra os erros que ajudamos — em qualquer grau — a prosperar.

Não faltarão armadilhas nesse processo. Todo mundo erra. Mas, no tribunal das redes, alguns erros são manipulados — tornados eternos — para transformar aquele que errou num desqualificado permanente; num alijado do debate público.

Atenção. Não é que André Marinho simplesmente tenha apoiado Jair Bolsonaro. Não. Sua casa foi o alicerce para que a campanha de Bolsonaro tivesse alguma estrutura em 2018. O cara viveu aquilo. E não descarta. Não despreza. Neste livro, conta aquela história — sem omitir o deslumbramento — e se situa. Não se vitimiza nem culpa. Enfrenta; e o faz do lugar privilegiado em que nasceu e do qual observa o mundo. É honesto.

A vida, como os erros, tem nuances. Os erros, matizes. Marinho parece ter aprendido cedo a não oferecer o pescoço aos justiceiros. O livro propõe uma boa reflexão sobre a cultura do cancelamento. Com exceções, os que nos cobram *mea culpa* só querem que estendamos a mão para que nos puxem o corpo e nos levem o pescoço.

É emboscada. Nossos erros nós expiamos — ou podemos expiar — na luta, olhando e seguindo adiante.

Marinho tratou dos seus frente a frente com Bolsonaro.

REFERÊNCIAS

ALMEIDA, Paulo Roberto de (org.). *O homem que pensou o Brasil.* Curitiba: Appris, 2017.

BASTIAT, Frédéric. *O que se vê e o que não se vê.* São Paulo: LVM Editora, 2010.

BOCK-CÔTÉ, Mathieu. *O império do politicamente correto.* São Paulo: É Realizações, 2021.

BRAGANÇA, Luiz Philippe de Orleans e. *Por que o Brasil é um país atrasado?.* São Paulo: Maquinaria Studio, 2019.

CALDEIRA, Jorge. *101 brasileiros que fizeram história.* Rio de Janeiro: Estação Brasil, 2016.

CAMPOS, Roberto. *Antologia do bom senso.* Rio de Janeiro: Topbooks, 1996.

CARAZZA, Bruno. *Dinheiro, eleições e poder: As engrenagens do sistema político brasileiro.* São Paulo: Companhia das Letras, 2018.

CARDOSO, Fernando Henrique. *Um intelectual na política: Memórias.* São Paulo: Companhia das Letras, 2021.

CASTRO, Ruy. *Mau humor: Uma antologia definitiva de frases venenosas.* São Paulo: Companhia das Letras, 2007.

DAMATTA, Roberto. *Carnavais, malandros e heróis: Para uma sociologia do dilema brasileiro.* Rio de Janeiro: Rocco, 1997.

_____. *O que faz do Brasil, Brasil?.* Rio de Janeiro: Rocco, 1986.

_____. *Você sabe com quem está falando? Estudos sobre o autoritarismo brasileiro.* Rio de Janeiro: Rocco, 2020.

D'AVILA, Luiz Felipe. *10 mandamentos: Do país que somos para o Brasil que queremos.* São Paulo: Edições 70, 2022.

DERSHOWITZ, Alan. *Cultura do cancelamento: A liberdade sob ataque.* São Paulo: LVM Editora, 2021.

FAUSTO, Boris. *História do Brasil.* São Paulo: Edusp, 2019.

FIUZA, Guilherme. *3.000 dias no bunker: Um plano na cabeça e um país na mão.* Rio de Janeiro: Record, 2017.

FRANCO, Gustavo. *Lições amargas: Uma história provisória da atualidade.* Rio de Janeiro: História Real, 2021.

FRIEDMAN, Milton; Rose Friedman. *Livres para escolher: Uma reflexão sobre a relação entre liberdade e economia.* Rio de Janeiro: Record, 2021.

GASPAR, Malu. *A organização: A Odebrecht e o esquema de corrupção que chocou o mundo.* São Paulo: Companhia das Letras, 2020.

GOMES, Ciro. *Projeto nacional: O dever da esperança.* São Paulo: LeYa Brasil, 2020.

HICKS, Stephen R. C. *Guerra cultural: Como o pós-modernismo criou uma narrativa de desconstrução do Ocidente.* São Paulo: Faro Editorial, 2021.

KIRK, Russell. *A mentalidade conservadora: De Edmund Burke a T. S. Eliot.* São Paulo: É Realizações, 2020.

LEITÃO, Míriam. *História do futuro: O horizonte do Brasil no século XXI.* Rio de Janeiro: Intrínseca, 2015.

MURRAY, Douglas. *A loucura das massas: Gênero, raça e identidade.* Rio de Janeiro: Record, 2021.

RISÉRIO, Antônio. *Em busca da nação.* Rio de Janeiro: Topbooks, 2020.

ROGERS, Will (org. e trad. Lucas Colombo). *Políticos, Pernósticos & Lunáticos.* Rio de Janeiro: Gryphus, 2021.

SALTO, Felipe; Karpuska, Laura; Villaverde, João (orgs.). *Reconstrução: O Brasil nos anos 20.* São Paulo: SaraivaJur, 2022.

SCHWARCZ, Lilia M.; Starling, Heloisa M. *Brasil: Uma biografia.* São Paulo: Companhia das Letras, 2018.

_____ (orgs.). *Dicionário da República: 51 textos críticos*. São Paulo: Companhia das Letras, 2019.

SAAD, Gad. *A mente parasita*. São Paulo: Trinitas, 2021.

SOUZA, Jessé. *A elite do atraso: Da escravidão a Bolsonaro*. Rio de Janeiro: Estação Brasil, 2019.

VILLA, Marco Antônio. *Década perdida: Dez anos de PT no poder*. Rio de Janeiro: Record, 2014.

VIZEU, Rodrigo. *Os presidentes: A história dos que mandaram e desmandaram no Brasil, de Deodoro a Bolsonaro*. Rio de Janeiro: HarperCollins Brasil, 2019.

WEFFORT, Francisco. *O populismo na política brasileira*. Rio de Janeiro: Paz e Terra, 2003.

intrinseca.com.br

@intrinseca

editoraintrinseca

@intrinseca

@editoraintrinseca

editoraintrinseca

1ª edição	SETEMBRO DE 2022
Impressão	LIS GRÁFICA
Papel de miolo	PÓLEN SOFT 80 G/M²
Papel de capa	CARTÃO SUPREMO ALTA ALVURA® 250 G/M²
Tipografias	CRIMSON TEXT, FUTURA,
	STONE HARBOUR & TUSKER GROTESK